Petits Classique LAROUSSE

Collection fondée par Félix Guirand,
Agrégé des Lettres

L'École
des
femmes

Molière

Comédie

Édition présentée,
annotée et commentée
par Anne RÉGENT,
ancienne élève de l'École normale supérieure,
agrégée de lettres modernes,
docteur de l'université Paris-IV Sorbonne

SOMMAIRE

Avant d'aborder l'œuvre

L'École des Femmes

Molière

132 Avez-vous bien lu ?

Pour approfondir

AVANT D'ABORDER
L'ŒUVRE

Fiche d'identité de l'auteur

Molière

Nom : Jean-Baptiste POQUELIN, dit Molière.

Naissance : janvier 1622, rue Saint-Honoré à Paris.

Famille : bourgeoisie marchande. Ses père et grand-père sont maîtres tapissiers du roi. Sa mère, Marie Cressé, meurt en 1632. Sa belle-mère (1633), Catherine Fleurette, est la fille d'un maître sellier.

Études : de 1635 à 1639 environ, études chez les jésuites du collège de Clermont (actuel lycée Louis-le-Grand à Paris) ; à partir de 1640, études de droit à Orléans, qu'il interrompt pour se consacrer à la comédie.

Début de carrière : se lie en 1643 à la comédienne Madeleine Béjart et fonde avec la famille Béjart la troupe de l'Illustre-Théâtre. En 1645, faillite de l'Illustre-Théâtre : Molière se joint à une troupe itinérante.

Premiers succès : en 1653, il devient directeur de cette troupe, qui obtient l'appui du prince de Conti, puis du frère du roi. En 1658, la troupe s'installe à Paris et l'année suivante, le triomphe des *Précieuses ridicules* consacre le génie de Molière, non seulement comme acteur et comme metteur en scène, mais comme auteur. En 1661, la troupe de Molière s'installe définitivement au Palais-Royal.

Les querelles : en 1662, année où il épouse Armande Béjart (fille ou sœur de Madeleine ?), Molière écrit *L'École des femmes*, première comédie en cinq actes et en vers, qui déclenche une importante querelle. En 1665, violents débats autour de *Dom Juan*. En 1666, accueil mitigé du *Misanthrope*. En 1669 et 1670, immense succès de *Tartuffe*, puis du *Bourgeois gentilhomme*.

Le dernier acte : mort de Madeleine Béjart en 1672. En 1673, Molière est pris de malaise pendant la représentation du *Malade imaginaire* et meurt à son domicile, rue Richelieu.

Pour ou contre Molière ?

Pour :

BOILEAU :

« Ta muse avec utilité, / Dit plaisamment la vérité ; / Chacun profite à ton École [...]. »

Stances à Molières, 1663.

Louis JOUVET :

« Son théâtre, qui paraît être le triomphe de la raison aux yeux de ses commentateurs, est surtout, en vérité, le royaume de cette merveilleuse déraison qui s'appelle la poésie. »

Entretien à la Sorbonne, 1951.

René BRAY :

« La comédie moliéresque n'est pas une comédie régulière : c'est une comédie disciplinée. »

Molière homme de théâtre, 1954.

Contre :

LA BRUYÈRE

« Il n'a manqué à Molière que d'éviter le jargon et le barbarisme et d'écrire purement. »

Les Caractères, 1688.

FÉNELON

« Il a outré souvent les caractères : il a voulu, par cette liberté, plaire au parterre, frapper les spectateurs les moins délicats et rendre le ridicule plus sensible. »

Lettre sur les occupations de l'Académie (publiée en 1716).

Repères chronologiques

Vie et œuvre de Molière	Événements politiques et culturels

Vie et œuvre de Molière

1622
Naissance de Molière.

1632
Mort de sa mère.

1640
Fin des ses humanités à l'actuel lycée Louis-Le-Grand.

1642
Obtention d'une licence en droit à Orléans. Affirmation de sa vocation théâtrale, sous l'influence de Madeleine Béjart.

1643
Fondation de l'Illustre-Théâtre.

1645
Fin de l'Illustre-Théâtre. Début d'une longue tournée en province.

1653
Protection du prince de Conti (pour trois ans).

1655
L'Étourdi.

1658
Installation de la troupe à Paris, salle du Petit-Bourbon, sous la protection de Monsieur, frère du roi.

1659
Les Précieuses ridicules.

1661
Installation au théâtre du Palais-Royal. Échec de *Dom Garcie de Navarre,* compensé par le succès de *L'École des Maris* et des *Fâcheux.*

1662
Succès éclatant de *L'École des Femmes.* Mariage avec Armande Béjart.

Événements politiques et culturels

1610
Début du règne de Louis XIII.

1629
Fondation de la Compagnie du Saint-Sacrement.

1637
Corneille, *Le Cid.*

1639
Naissance de Racine.

1642
Mort de Richelieu.

1643
Mort de Louis XIII. Régence d'Anne d'Autriche et ministère de Mazarin.
Corneille, *Le Menteur.*

1648
Fin de la guerre de Trente Ans. Début de la Fronde.

1659
Paix des Pyrénées avec l'Espagne, qui cède l'Artois et le Roussillon à la France.

1661
**Mort de Mazarin.
Début du règne personnel de Louis XIV. Arrestation de Fouquet.**

1662
Mort de Pascal.
Colbert contrôleur général des Finances.

1663
Invasion de l'Autriche par les Turcs.

Vie et œuvre de Molière	Événements politiques et culturels
1664	**1664**
Molière animateur des « plaisirs de l'île enchantée » lors des fêtes de Versailles. Interdiction du *Tartuffe* sitôt après la première représentation de la pièce.	Fouquet incarcéré à vie.
	1666
	Mort d'Anne d'Autriche.
1665	**1667**
Interdiction de *Dom Juan* après quelques représentations, mais rattachement de la troupe de Molière au service du roi, et triomphe de *L'Amour médecin*.	Corneille, *Attila*. Racine, *Andromaque*. Sous la conduite de Turenne, conquête des Pays-Bas espagnols par les armées de Louis XIV (guerre de Dévolution).
1666	**1668**
Accueil mitigé réservé au *Misanthrope*, mais succès du *Médecin malgré lui*.	Fin de la guerre de Dévolution : signature des traités de Saint-Germain et d'Aix-la-Chapelle par la France et l'Espagne : annexion française de Lille, Tournai, Douai et Armentières. La Fontaine, *Fables*. Racine, *Les Plaideurs*.
1667	
Nouvelle interdiction du *Tartuffe*, remanié sous le titre *L'Imposteur*.	
1669	**1669**
Autorisation royale finalement accordée au *Tartuffe*. Triomphe.	Racine, *Britannicus*.
1670	**1670**
Comédies-ballets commandées par la cour : *Les Amants magnifiques*, *Le Bourgeois gentilhomme*.	Pascal, *Les Pensées*. Création du Trianon de Porcelaine. Racine, *Bérénice*. Corneille, *Tite et Bérénice*. Mort de Madame.
1671	
Succès de *Psyché*, spectacle « musical ».	
1672	**1672**
Mort de Madeleine Béjart. *Les Femmes savantes*. Brouille et rupture avec le compositeur Lulli, après huit ans de travail en commun.	Début de la guerre de Hollande. Racine, *Bajazet*.
1673.	
Le Malade imaginaire. Mort de Molière.	

Fiche d'identité de l'œuvre

L'École des femmes

Auteur :
Jean-Baptiste Poquelin, dit Molière, quarante ans, directeur de la troupe de Monsieur (frère du roi) installée au Palais-Royal, metteur en scène, acteur et auteur comique.

Genre : « grande comédie ».

Forme : dialogue versifié.

Structure : pièce en cinq actes, construite selon les règles de la dramaturgie classique. Alliance de la farce, de la comédie d'intrigue et de la comédie de caractères.

Personnages : trois personnages principaux (formant un triangle amoureux), six personnages secondaires.

Arnolphe, tuteur d'Agnès, riche bourgeois tyrannique de quarante-deux ans ; Agnès, jeune orpheline de dix-sept ans, innocente et soumise ; Horace, séduisant jeune homme, type du jeune premier de la *commedia dell'arte* ; les paysans et servants Georgette et Alain ; Chrysalde, ami d'Arnolphe, plein de bon sens ; Enrique, beau-frère de Chrysalde ; Oronte, père d'Horace et ami d'Arnolphe ; un notaire.

Sujet : Arnolphe a confié sa pupille Agnès à un couvent et l'a fait élever dans la plus grande ignorance, afin d'en faire sa femme et de se préserver du cocuage. Le jeune et séduisant Horace rencontre cependant Agnès à son insu et en tombe immédiatement amoureux ; il entreprend de la courtiser, non sans confier naïvement ses projets à Monsieur de la Souche, qui n'est autre qu'Arnolphe.
Celui-ci tente d'empêcher les deux jeunes gens d'entrer en relation, et d'accélérer son propre mariage avec Agnès…

Pour ou contre

L'École des femmes

Pour :

BOILEAU :

« En vain mille jaloux esprits, / Molière, osent avec
mépris, / Censurer ton plus bel ouvrage ; / Sa charmante
naïveté / S'en va pour jamais d'âge en âge / Divertir
la postérité. »

Stances à Molière, 1663.

Antoine ADAM :

« Molière a pour toute morale ascétique une hostilité
raisonnée et de principe, [...] il fait confiance à la vie,
à la spontanéité, à la liberté. »

Histoire de la littérature française au xviie siècle, 1952.

Contre :

BOSSUET :

« On réprouvera les discours où [Molière] étale [...]
au grand jour les avantages d'une infâme tolérance
dans les maris, et sollicite les femmes à de honteuses
vengeances contre leurs jaloux. »

Maximes et réflexions sur la comédie, 1694.

VOLTAIRE :

« [*L'École des femmes*] passe pour être inférieure en
tout à *L'École des maris*, et surtout dans le dénouement,
qui est aussi postiche dans *L'École des femmes* qu'il est
bien amené dans *L'École des maris*. »

Sommaire de « l'École des femmes », 1765.

Pour mieux lire l'œuvre

✣ Au temps de Molière

Le théâtre à l'époque de *L'École des femmes*

Au moment où Molière écrit *L'École des femmes*, le règne personnel de Louis XIV vient de commencer sous des auspices éclatantes, et les beaux-arts se trouvent plus que jamais favorisés. Le théâtre est alors tout spécialement apprécié, et il arrive que deux pièces soient jouées successivement au cours de la même représentation : c'est ainsi que *L'École des femmes* pouvait être suivie de *La Critique de « L'École des femmes »*, autre pièce de Molière dans laquelle ce dernier répondait aux critiques qui lui avaient été adressées. Le public, souvent dissipé, se passionne pour les rivalités existant entre les troupes de théâtre et entre les dramaturges.

Un succès, un tournant, un sommet

L'École des femmes revêt dans la carrière de Molière une triple importance. D'abord, le succès de la pièce et l'importance de la querelle qu'elle déclenche établissent définitivement Molière comme un auteur majeur, et lui apportent, outre des recettes financières très élevées, le soutien décisif du roi. En second lieu, elle constitue un tournant, dans la mesure où, en même temps que la renommée, elle apporte à Molière les revers de la gloire : les querelles et les attaques personnelles, mais aussi le travail acharné pour satisfaire la Cour, à laquelle il se trouve désormais étroitement lié. Enfin, Molière inaugure avec *L'École des femmes* la période de maturité de son art : alors que ses comédies antérieures demeuraient très proches de la farce, il deviendra ensuite le maître de la « grande comédie » en cinq actes et en vers, à la psychologie subtile et aux enjeux complexes. Il espère ainsi rendre à la comédie la même dignité que la tragédie, représentée au XVIIe siècle par des auteurs tels que Corneille et Racine, et dont les acteurs sont les concurrents directs de la troupe de Molière.

Le portrait d'un jaloux ridicule et la question du statut de la femme

Âgé de quarante-deux ans, Arnolphe est déjà relativement âgé à l'échelle de la société du XVIIᵉ siècle, dans laquelle l'espérance de vie est bien plus restreinte qu'aujourd'hui. Cependant, son projet de mariage avec la très jeune Agnès ne présente à l'époque rien d'inhabituel : ce type de mariage était au contraire très courant, et Molière venait du reste lui-même d'épouser Armande Béjart, de vingt ans plus jeune que lui. Il est donc hautement improbable que ce soit la différence d'âge du couple Arnolphe-Agnès qui, selon Molière, le condamne à l'échec.

Les obstacles sont autres. Tout d'abord, Arnolphe incarne la bourgeoisie dans ce qu'elle présente, selon Molière, de plus conservateur et de plus misogyne : il ne considère la femme que comme un être immature et incapable de véritable droiture d'âme, aussi faible moralement et intellectuellement que physiquement. Au contraire, le monde aristocratique en général et la Cour en particulier accordent de plus en plus de place à ces lieux de sociabilité intellectuelle et artistique que sont les grands salons féminins, et les précieuses imposent un nouvel idéal d'amour subtilement gradué et de langage raffiné. Le bourgeois Arnolphe se montre totalement étranger à ces marques de l'émancipation féminine, comme le manifeste notamment sa radicale incapacité à parler d'amour en termes de sentiments et non de possession physique. La religion catholique et la morale traditionnelle qu'elle véhicule ne sont pour lui qu'un moyen supplémentaire d'asservir la femme à la volonté de l'homme : elles deviennent un instrument de son cynisme et de son égoïsme et il n'hésite pas à faire planer sur Agnès la menace du « grand chemin d'enfer et de perdition » (III, 1).

Cependant, le ton de la pièce ne relève pas de la dénonciation indignée : il s'agit bien d'une comédie, et Arnolphe, plus encore qu'inquiétant ou révoltant, est ridicule. Ce trait essentiel était accusé par l'interprétation qu'en donnait Molière sur scène, sur laquelle nous disposons de précieuses informations : voix souvent aiguë, soupirs et hoquets ridicules, roulements des yeux, concouraient à donner du personnage une image à la fois grotesque et risible.

Toutefois, si *L'École des femmes* est bel et bien une comédie, elle n'est pas pour autant une farce, et la complexité bien réelle du personnage d'Arnolphe, se découvrant amoureux d'Agnès au moment où elle lui échappe irrémédiablement, donne à la pièce une profondeur inattendue.

✎ L'essentiel

Pièce décisive à plusieurs égards dans la carrière de Molière, *L'École des femmes* marque le passage des comédies proches de la farce à la « grande comédie » : outre la forme même de la pièce – comédie en cinq actes et en vers –, l'importance de l'enjeu (la question de l'éducation des femmes et des mariages arrangés) et la complexité du personnage d'Arnolphe, tyran amoureux, en sont les marques les plus significatives.

✤ L'œuvre aujourd'hui

Tradition et émancipation des femmes

Comme la plupart de ses contemporains, Arnolphe défend un ordre social traditionnel, dans lequel la femme ne joue qu'un rôle « subalterne » : « Bien qu'on soit deux moitiés de la Société, / Ces deux moitiés pourtant n'ont point d'égalité ; / L'une est moitié suprême, et l'autre subalterne ; / L'une en tout est soumise à l'autre, qui gouverne » (III, 2, vers 701-704). Considérée comme une éternelle mineure, incapable de distinguer par elle-même le bien du mal, la femme est pour lui la propriété de son époux ; la manière dont il envisage sa relation avec Agnès relève plus de la crainte que de l'amour, même si au cours de l'intrigue, les sentiments d'Arnolphe se révèlent plus ambivalents. Au besoin, Arnolphe n'hésite pas à brandir la menace du châtiment divin qui viendra selon lui punir la désobéissance d'Agnès : conçue comme force de domination et de répression plus que comme épanouissement spirituel, la religion (en l'occurrence, catholique) lui sert d'instrument pour asseoir son pouvoir sur Agnès, élevée dans un couvent et menacée d'y être à nouveau enfermée. Dès le XVIIᵉ siècle, Molière remet ainsi en question cette inégalité sociale des sexes, appelée à se trouver progressivement réduite, en Occident du moins, au cours des XIXᵉ et surtout XXᵉ siècles. Dès la génération suivante, Fénelon composera un très progressiste *Traité de l'éducation des filles*, qui sera mis en application à l'école de Saint-Cyr par Madame de Maintenon à partir de 1686. Dans la pièce, le point de vue libéral est représenté par Chrysalde, mais il se traduit surtout, en négatif, par le ridicule qui s'attache au personnage rétrograde et misogyne d'Arnolphe.

Mariage arrangé et mariage d'amour

L'une des manifestations sociales essentielles de l'inégalité entre hommes et femmes se trouve inlassablement dénoncée par Molière dans ses comédies : il s'agit du mariage arrangé (le plus souvent, par l'homme ou par sa famille), ou mariage de convenance. Ce type d'union fut très longtemps prédominant en France : dans les milieux les plus modestes comme dans l'aristocratie, le mariage n'était pas conçu comme un choix libre motivé par les sentiments réciproques des deux membres du couple, mais comme un arrangement social et financier entre deux familles. Au XVIIᵉ siècle, un mariage conclu sans le consentement des parents entre un homme de moins de trente ans et/ou une fille de moins de vingt-cinq ans pouvait du reste être considéré comme nul. Le personnage d'Arnolphe se veut certes

Pour mieux lire l'œuvre

une caricature d'autoritarisme masculin et de paternalisme tyrannique, mais il n'est pas le seul : le spectateur se réjouit d'apprendre qu'Enrique a décidé de marier son fils Horace à Agnès, mais il n'en reste pas moins que la décision n'a nullement été prise par les deux jeunes gens. En Occident, cette pratique traditionnelle a progressivement été remplacée par une conception du mariage comme libre consentement entre deux personnes éprouvant des sentiments mutuels, mais elle n'a véritablement disparu que très récemment, et demeure prédominante dans bien d'autres cultures.

L'éducation des femmes

Dans *L'École des femmes*, cette question se trouve explicitement liée à celle, essentielle, de l'instruction des femmes. Agnès, en effet, a reçu une version particulièrement restrictive de l'éducation traditionnelle dispensée aux femmes à l'époque de Molière : « c'est assez pour elle [...] / De savoir prier Dieu, m'aimer, coudre et filer » (vers 101-102), déclare son tuteur. Arnolphe a ordonné aux religieuses qui l'ont élevée de ne lui transmettre aucun savoir ; fondée sur la méfiance et le préjugé, l'éducation qu'il lui a fait donner a consisté, non à développer son esprit, mais au contraire, et non sans paradoxe, à le brider et à l'étouffer : il s'agissait de « la rendre idiote autant qu'il se pourrait » (vers 138). Cependant, ce qu'Arnolphe a refusé d'enseigner à Agnès, la vie s'en chargera : « l'école des femmes », ce sera l'amour ; maladroite dans le maniement des mots, Agnès s'éveillera peu à peu à la subtilité du langage sous l'influence des sentiments nouveaux qu'elle éprouve pour Horace, et qui la poussent à se dépasser.

Si, de nos jours, de nombreux pays dispensent à présent la même éducation aux filles et aux garçons, il serait naïf de croire que les uns et les autres se trouvent pour autant éduqués exactement de la même manière : dans l'inconscient collectif, les sciences dites « dures » ou « exactes » sont encore souvent considérées comme des disciplines « masculines », tandis que les sections plus littéraires attirent bien plus de jeunes filles que de jeunes garçons. Il en va de même pour de nombreuses professions, où prédominent massivement soit les filles, soit les garçons. Enfin, on sait que les postes les plus élevés de la hiérarchie sociale sont encore en grande partie occupés par des hommes, en dépit des efforts fait pour rééquilibrer cette répartition. La réflexion que proposait Molière dans *L'École des femmes* est donc loin d'avoir perdu toute actualité : de l'éducation dispensée aux femmes dépend en effet leur émancipation sociale, économique et culturelle.

☙ *L'essentiel*

Au cœur de la pièce se trouve une question essentielle pour Molière : celle du statut de la femme et de la signification véritable du mariage. Dans une société encore très traditionnelle, ne considérant le mariage que comme une association d'intérêts et réduisant la femme à son rôle d'épouse et de mère, l'auteur s'interroge sur le sens d'une union qui ne serait que contrainte et convention sociale, et sur le bien-fondé d'une éducation qui, au lieu d'épanouir l'esprit, le bride et le mutile.

Louis Jouvet et Madeleine Ozeray.
Théâtre de l'Athénée, 1940.

L'École des femmes

Molière

Comédie représentée pour la
première fois le 26 décembre 1662

Épître

À Madame [Henriette d'Angleterre, Duchesse d'Orléans (1644-1670)]

MADAME,

Je suis le plus embarrassé homme du monde, lorsqu'il me faut dédier un livre ; et je me trouve si peu fait au style d'épître dédicatoire, que je ne sais pas où sortir de celle-ci. Un autre auteur, qui serait en ma place, trouverait d'abord cent belles choses à dire de VOTRE ALTESSE ROYALE, sur ce titre de L'École des femmes, et l'offre qu'il vous en ferait. Mais, pour moi, MADAME, je vous avoue mon faible. Je ne sais point cet art de trouver des rapports entre des choses si peu proportionnées ; et, quelques belles lumières que mes confrères les auteurs me donnent tous les jours sur de pareils sujets, je ne vois point ce que VOTRE ALTESSE ROYALE pourrait avoir à démêler avec la comédie que je lui présente. On n'est pas en peine, sans doute, comment il faut faire pour vous louer. La matière, Madame, ne saute que trop aux yeux ; et, de quelque côté qu'on vous regarde, on rencontre gloire sur gloire, et qualités sur qualités. Vous en avez, MADAME, du côté du rang et de la naissance, qui vous font respecter de toute la terre. Vous en avez du côté des grâces, et de l'esprit et du corps, qui vous font admirer de toutes les personnes qui vous voient. Vous en avez du côté de l'âme, qui, si l'on ose parler ainsi, vous font aimer de tous ceux qui ont l'honneur d'approcher de vous : je veux dire cette douceur pleine de charmes, dont vous daignez tempérer la fierté des grands titres que vous portez ; cette bonté tout obligeante, cette affabilité généreuse que vous faites paraître pour tout le monde ; et ce sont particulièrement ces dernières pour qui je suis, et dont je sens fort bien que je ne me pourrai taire quelque jour. Mais encore une fois, Madame, je ne sais point le biais de faire entrer ici des vérités si éclatantes ; et ce sont choses, à mon avis, et d'une trop vaste étendue et d'un mérite trop élevé, pour les vouloir renfermer dans une épître et les mêler avec des bagatelles. Tout bien considéré, Madame, je ne vois rien à faire ici pour moi que de vous dédier simplement ma comédie, et de vous assurer, avec tout le respect qu'il m'est possible, que je suis, de VOTRE ALTESSE ROYALE, MADAME,

Le très humble, très obéissant, et très obligé serviteur, J.-B. MOLIÈRE.

Préface

Bien des gens ont frondé[1] d'abord cette comédie ; mais les rieurs ont été pour elle, et tout le mal qu'on en a pu dire, n'a pu faire qu'elle n'ait eu un succès dont je me contente. Je sais qu'on attend de moi dans cette impression quelque préface qui réponde aux censeurs, et rende raison de mon ouvrage ; et sans doute que je suis assez redevable à toutes les personnes qui lui ont donné leur approbation, pour me croire obligé de défendre leur jugement contre celui des autres, mais il se trouve qu'une grande partie des choses que j'aurais à dire sur ce sujet est déjà dans une dissertation que j'ai faite en dialogue, et dont je ne sais encore ce que je ferai. L'idée de ce dialogue, ou, si l'on veut, de cette petite comédie, me vint après les deux ou trois premières représentations de ma pièce. Je la dis, cette idée, dans une maison où je me trouvai un soir ; et d'abord une personne de qualité, dont l'esprit est assez connu dans le monde, et qui me fait l'honneur de m'aimer, trouva le projet assez à son gré, non seulement pour me solliciter d'y mettre la main, mais encore pour l'y mettre lui-même, et je fus étonné que, deux jours après, il me montra toute l'affaire exécutée d'une manière, à la vérité, beaucoup plus galante et plus spirituelle que je ne puis faire, mais où je trouvai des choses trop avantageuses pour moi ; et j'eus peur que, si je produisais cet ouvrage sur notre théâtre, on ne m'accusât d'avoir mendié les louanges qu'on m'y donnait. Cependant cela m'empêcha, par quelque considération, d'achever ce que j'avais commencé. Mais tant de gens me pressent tous les jours de le faire, que je ne sais ce qui en sera ; et cette incertitude est cause que je ne mets point dans cette préface ce qu'on verra dans La Critique, en cas que je me résolve à la faire paraître. S'il faut que cela soit, je le dis encore, ce sera seulement pour venger le public du chagrin[2] délicat de certaines gens ; car, pour moi, je m'en tiens assez vengé par la réussite de ma comédie ; et je souhaite que toutes celles que je pourrai faire soient traitées par eux comme celle-ci, pourvu que le reste soit de même.

---

1. **Ont frondé :** ont critiqué.
2. **Chagrin :** irritation.

PERSONNAGES

ARNOLPHE   *tuteur d'Agnès, se faisant appeler Monsieur de la Souche.*

AGNÈS   *jeune fille innocente adoptée et élevée par Arnolphe.*

HORACE   *amant d'Agnès.*

ALAIN   *paysan, valet d'Arnolphe.*

GEORGETTE   *paysanne, servante d'Arnolphe.*

CHRYSALDE   *ami d'Arnolphe.*

ENRIQUE   *beau-frère de Chrysalde.*

ORONTE   *père d'Horace et ami d'Arnolphe.*

UN NOTAIRE.

La scène est dans une place de ville.

ACTE I
Scène 1   CHRYSALDE, ARNOLPHE.

CHRYSALDE

Vous venez, dites-vous, pour lui donner la main[1] ?

ARNOLPHE

Oui. Je veux terminer la chose dans demain[2].

CHRYSALDE

Nous sommes ici seuls, et l'on peut, ce me semble,
Sans craindre d'être ouïs, y discourir ensemble.
5   Voulez-vous qu'en ami je vous ouvre mon cœur ?
Votre dessein, pour vous, me fait trembler de peur,
Et, de quelque façon que vous tourniez l'affaire,
Prendre femme est à vous[3] un coup bien téméraire.

ARNOLPHE

Il est vrai, notre ami[4]. Peut-être que chez vous
10   Vous trouvez des sujets de craindre pour chez nous ;
Et votre front, je crois, veut que du mariage
Les cornes[5] soient partout l'infaillible apanage[6].

CHRYSALDE

Ce sont coups de hasard, dont on n'est point garant[7] ;
Et bien sot, ce me semble, est le soin qu'on en prend.
15   Mais, quand je crains pour vous[8], c'est cette raillerie
Dont cent pauvres maris ont souffert la furie :
Car enfin, vous savez qu'il n'est grands, ni petits,

---

1. **Lui donner la main :** l'épouser.
2. **Dans demain :** demain.
3. **À vous :** de votre part.
4. **Notre ami :** mon ami.
5. **Les cornes :** symboles du mari trompé, en particulier dans la tradition du fabliau.
6. **L'apanage de :** le propre de (quelqu'un ou quelque chose).
7. **Dont on n'est point garant :** qui ne dépendent pas de nous.
8. **Quand je crains pour vous :** ce que je crains pour vous.

Que de votre critique on ait vus garantis :
Que vos plus grands plaisirs sont, partout où vous êtes,
20   De faire cent éclats des intrigues secrètes...

ARNOLPHE

Fort bien. Est-il au monde une autre ville aussi
Où l'on ait des maris si patients qu'ici ?
Est-ce qu'on n'en voit pas de toutes les espèces
Qui sont accommodés chez eux de toutes pièces[1] ?
25   L'un amasse du bien dont sa femme fait part
À ceux qui prennent soin de le faire cornard[2] ;
L'autre, un peu plus heureux, mais non pas moins infâme[3],
Voit faire tous les jours des présents à sa femme,
Et d'aucun soin[4] jaloux n'a l'esprit combattu
30   Parce qu'elle lui dit que c'est pour sa vertu.
L'un fait beaucoup de bruit qui ne lui sert de guères[5] ;
L'autre en toute douceur laisse aller les affaires,
Et, voyant arriver chez lui le damoiseau[6],
Prend fort honnêtement ses gants et son manteau.
35   L'une, de son galant, en adroite femelle,
Fait fausse confidence à son époux fidèle,
Qui dort en sûreté sur un pareil appas,
Et le plaint, ce galant, des soins qu'il ne perd pas ;
L'autre, pour se purger de sa magnificence[7],
40   Dit qu'elle gagne au jeu l'argent qu'elle dépense,
Et le mari benêt, sans songer à quel jeu,
Sur les gains qu'elle fait rend des grâces à Dieu.
Enfin, ce sont partout des sujets de satire,
Et, comme spectateur, ne puis-je pas en rire ?
45   Puis-je pas de nos sots[8]...

---

1. **Accommodés chez eux de toutes pièces :** traités de la pire manière.
2. **Cornard :** qui porte des cornes (voir note du v. 12), donc cocu.
3. **Infâme :** déshonoré.
4. **Soin :** souci.
5. **De guères :** peu.
6. **Damoiseau :** jeune homme faisant la cour aux femmes (terme péjoratif).
7. **Pour se purger de sa magnificence :** pour se justifier de son luxe.
8. **Sots :** outre son sens moderne, le terme possède également au XVIIᵉ siècle le sens de cocu.

CHRYSALDE

             Oui ; mais qui rit d'autrui
Doit craindre qu'en revanche on rie aussi de lui.
J'entends parler le monde, et des gens se délassent
À venir débiter les choses qui se passent ;
Mais, quoi que l'on divulgue aux endroits où je suis,
50   Jamais on ne m'a vu triompher de ces bruits.
J'y suis assez modeste[1] ; et bien qu'aux occurrences[2]
Je puisse condamner certaines tolérances,
Que mon dessein ne soit de souffrir[3] nullement
Ce que d'aucuns[4] maris souffrent paisiblement,
55   Pourtant je n'ai jamais affecté de le dire ;
Car enfin il faut craindre un revers de satire,
Et l'on ne doit jamais jurer sur de tels cas
De ce qu'on pourra faire, ou bien ne faire pas.
Ainsi, quand à mon front, par un sort qui tout mène,
60   Il serait arrivé quelque disgrâce humaine,
Après mon procédé, je suis presque certain
Qu'on se contentera de s'en rire sous main[5] ;
Et peut-être qu'encor j'aurai cet avantage,
Que quelques bonnes gens diront que c'est dommage.
65   Mais de vous, cher compère, il en est autrement ;
Je vous le dis encor, vous risquez diablement.
Comme sur les maris accusés de souffrance[6]
De tout temps votre langue a daubé d'importance[7],
Qu'on vous a vu contre eux un diable déchaîné,
70   Vous devez marcher droit, pour n'être point berné[8] ;
Et, s'il faut que sur vous on ait la moindre prise,

---

1. **J'y suis assez modeste :** je suis assez réservé sur ce sujet.
2. **Aux occurrences :** à l'occasion.
3. **Souffrir :** supporter, tolérer.
4. **D'aucuns :** certains.
5. **Sous main :** secrètement.
6. **Souffrance :** tolérance excessive.
7. **A daubé d'importance :** a raillé avec suffisance, avec orgueil.
8. **Berné :** raillé, moqué, ridiculisé.

Gare qu'aux carrefours on ne vous tympanise[1],
Et...

ARNOLPHE

Mon Dieu ! notre ami, ne vous tourmentez point :
Bien huppé qui[2] pourra m'attraper sur ce point.
75 Je sais les tours rusés et les subtiles trames[3]
Dont pour nous en planter[4] savent user les femmes.
Et comme on est dupé par leurs dextérités,
Contre cet accident j'ai pris mes sûretés ;
Et celle que j'épouse a toute l'innocence
80 Qui peut sauver mon front de maligne influence.

CHRYSALDE

Et que prétendez-vous qu'une sotte, en un mot...

ARNOLPHE

Épouser une sotte[5] est pour n'être point sot.
Je crois, en bon chrétien, votre moitié fort sage ;
Mais une femme habile est un mauvais présage ;
85 Et je sais ce qu'il coûte à de certaines gens
Pour avoir pris les leurs avec trop de talents.
Moi, j'irais me charger d'une spirituelle[6]
Qui ne parlerait rien que cercle[7] et que ruelle[8] ;
Qui de prose et de vers ferait de doux écrits[9],
90 Et que visiteraient marquis et beaux esprits,
Tandis que, sous le nom du mari de madame,
Je serais comme un saint que pas un ne réclame[10] ?

---

1. **Tympanise :** tympaniser signifie « critiquer publiquement ».
2. **Bien huppé qui :** bien malin qui (familier).
3. **Trames :** intrigues.
4. **En planter :** planter des cornes (voir note du v. 12).
5. **Sotte, sot :** voir note du v. 46.
6. **Une spirituelle :** une femme qui a de l'esprit, une intellectuelle.
7. **Cercle :** réunion mondaine et intellectuelle.
8. **Ruelle :** espace compris entre le lit et le mur latéral de la chambre, où les précieuses recevaient leurs invités et tenaient salon.
9. **Doux écrits :** lettres d'amour.
10. **Comme un saint que pas un ne réclame :** comme un saint oublié que personne n'invoque.

Non, non, je ne veux point d'un esprit qui soit haut ;
Et femme qui compose en sait plus qu'il ne faut.
95 Je prétends que la mienne, en clartés peu sublime,
Même ne sache pas ce que c'est qu'une rime :
Et, s'il faut qu'avec elle on joue au corbillon[1],
Et qu'on vienne à lui dire à son tour : « Qu'y met-on ? »
Je veux qu'elle réponde : « Une tarte à la crème » ;
100 En un mot, qu'elle soit d'une ignorance extrême :
Et c'est assez pour elle, à vous en bien parler,
De savoir prier Dieu, m'aimer, coudre, et filer.

CHRYSALDE

Une femme stupide est donc votre marotte[2] ?

ARNOLPHE

Tant, que j'aimerais mieux une laide bien sotte
105 Qu'une femme fort belle avec beaucoup d'esprit.

CHRYSALDE

L'esprit et la beauté...

ARNOLPHE

L'honnêteté suffit.

CHRYSALDE

Mais comment voulez-vous, après tout, qu'une bête
Puisse jamais savoir ce que c'est qu'être honnête ?
Outre qu'il est assez ennuyeux, que je croi,
110 D'avoir toute sa vie une bête avec soi,
Pensez-vous le bien prendre[3], et que sur votre idée
La sûreté d'un front puisse être bien fondée ?
Une femme d'esprit peut trahir son devoir ;
Mais il faut pour le moins, qu'elle ose le vouloir ;
115 Et la stupide au sien peut manquer d'ordinaire[4],
Sans en avoir l'envie et sans penser le faire.

---

1. **Corbillon :** un jeu de société.
2. **Marotte :** idée fixe, manie ridicule.
3. **Le bien prendre :** bien prendre le problème.
4. **D'ordinaire :** d'une façon habituelle, régulièrement.

ARNOLPHE

À ce bel argument, à ce discours profond,
Ce que[1] Pantagruel à Panurge répond :
Pressez-moi de me joindre à femme autre que sotte,
120 Prêchez, patrocinez[2] jusqu'à la Pentecôte ;
Vous serez ébahi, quand vous serez au bout,
Que vous ne m'aurez rien persuadé du tout.

CHRYSALDE

Je ne vous dis plus mot.

ARNOLPHE

　　　　　　　Chacun a sa méthode,
En femme, comme en tout, je veux suivre ma mode :
125 Je me vois riche assez pour pouvoir, que je croi,
Choisir une moitié qui tienne tout de moi,
Et de qui la soumise et pleine dépendance
N'ait à me reprocher aucun bien ni naissance[3].
Un air doux et posé, parmi d'autres enfants,
130 M'inspira de l'amour pour elle dès quatre ans.
Sa mère se trouvant de pauvreté pressée,
De la lui demander il me vint en pensée ;
Et la bonne paysanne, apprenant mon désir,
À s'ôter cette charge eut beaucoup de plaisir.
135 Dans un petit couvent, loin de toute pratique[4],
Je la fis élever selon ma politique ;
C'est-à-dire, ordonnant quels soins on emploierait
Pour la rendre idiote[5] autant qu'il se pourrait.
Dieu merci, le succès a suivi mon attente ;
140 Et, grande, je l'ai vue à tel point innocente,
Que j'ai béni le ciel d'avoir trouvé mon fait[6],
Pour me faire une femme au gré de mon souhait.

---

1. **Ce que...** : je réponds ce que...
2. **Patrocinez :** parlez comme un avocat.
3. **N'ait à me reprocher aucun bien ni naissance :** n'ait à me reprocher ni sa dot
   ni sa naissance noble.
4. **Pratique :** fréquentation.
5. **Idiote :** ignorante.
6. **Mon fait :** mon affaire.

Je l'ai donc retirée, et comme ma demeure
À cent sortes de gens est ouverte à toute heure
145 Je l'ai mise à l'écart, comme il faut tout prévoir,
Dans cette autre maison où nul ne me vient voir ;
Et, pour ne point gâter sa bonté naturelle,
Je n'y tiens[1] que des gens tout aussi simples qu'elle.
Vous me direz : « Pourquoi cette narration ? »
150 C'est pour vous rendre instruit de ma précaution.
Le résultat de tout est qu'en ami fidèle
Ce soir je vous invite à souper avec elle ;
Je veux que vous puissiez un peu l'examiner,
Et voir si de mon choix on me doit condamner.

CHRYSALDE

155 J'y consens.

ARNOLPHE

Vous pourrez, dans cette conférence,
Juger de sa personne et de son innocence.

CHRYSALDE

Pour cet article-là, ce que vous m'avez dit
Ne peut...

ARNOLPHE

La vérité passe encor mon récit.
Dans ses simplicités[2] à tous coups je l'admire[3],
160 Et parfois elle en dit dont je pâme de rire.
L'autre jour (pourrait-on se le persuader ?)
Elle était fort en peine, et me vint demander,
Avec une innocence à nulle autre pareille,
Si les enfants qu'on fait se faisaient par l'oreille[4].

CHRYSALDE

165 Je me réjouis fort, seigneur Arnolphe...

---

1. **Tiens :** entretiens.
2. **Ses simplicités :** les manifestations de sa simplicité.
3. **Je l'admire :** je m'en étonne.
4. **Si les enfants qu'on fait se faisaient par l'oreille :** Agnès applique à toutes les naissances ce que les livres dévots écrivaient de la naissance du Christ, engendré par la Vierge.

ARNOLPHE

Bon !
Me voulez-vous toujours appeler de ce nom ?

CHRYSALDE

Ah ! malgré que j'en aie[1], il me vient à la bouche,
Et jamais je ne songe à monsieur de la Souche.
Qui diable vous a fait aussi vous aviser,
170 À quarante-deux ans, de vous débaptiser
Et d'un vieux tronc pourri de votre métairie[2]
Vous faire dans le monde un nom de seigneurie ?

ARNOLPHE

Outre que la maison par ce nom se connaît,
La Souche plus qu'Arnolphe à mes oreilles plaît.

CHRYSALDE

175 Quel abus de quitter le vrai nom de ses pères,
Pour en vouloir prendre un bâti sur des chimères !
De la plupart des gens c'est la démangeaison ;
Et, sans vous embrasser dans la comparaison,
Je sais un paysan qu'on appelait Gros-Pierre,
180 Qui, n'ayant pour tout bien qu'un seul quartier de terre,
Y fit tout alentour faire un fossé bourbeux,
Et de monsieur de l'Isle en prit le nom pompeux.

ARNOLPHE

Vous pourriez vous passer d'exemples de la sorte.
Mais enfin de la Souche est le nom que je porte :
185 J'y vois de la raison, j'y trouve des appas ;
Et m'appeler de l'autre est ne m'obliger pas[3].

CHRYSALDE

Cependant la plupart ont peine à s'y soumettre,
Et je vois même encor des adresses de lettre...

---

1. **Malgré que j'en aie :** malgré mes efforts.
2. **Métairie :** exploitation agricole.
3. **Ne m'obliger pas :** ne pas me plaire.

ARNOLPHE

Je le souffre aisément de qui n'est pas instruit ;
190 Mais vous...

CHRYSALDE

Soit : là-dessus nous n'aurons point de bruit[1] ;
Et je prendrai le soin d'accoutumer ma bouche
À ne plus vous nommer que monsieur de la Souche.

ARNOLPHE

Adieu. Je frappe ici pour donner le bonjour,
Et dire seulement que je suis de retour.

CHRYSALDE, *s'en allant.*

195 Ma foi, je le tiens fou[2] de toutes les manières.

ARNOLPHE

Il est un peu blessé[3] sur certaines matières.
Chose étrange, de voir comme avec passion
Un chacun est chaussé[4] de son opinion !
Holà !...

---

1. **Bruit :** querelle.
2. **Je le tiens fou :** je le tiens pour fou.
3. **Blessé :** sous-entendu « du cerveau », c'est-à-dire fou.
4. **Chaussé :** entêté.

Clefs d'analyse

Action et personnages

1. Dans quel lieu les personnages se trouvent-ils ?

2. Que s'apprête à faire Arnolphe ?

3. Quel âge a Arnolphe ?

4. Dans la scène 1, qu'apprend le spectateur sur ce qui s'est passé avant que la pièce commence ?

5. Quel plan Arnolphe a-t-il conçu pour ne pas être trompé par sa future femme ?

6. Comment réagit son ami Chrysalde ?

7. Quel est l'autre nom d'Arnolphe ? Pourquoi se fait-il appeler ainsi ?

Langue

8. Relevez les termes qui désignent, dans la bouche de chacun des deux personnages, l'infidélité conjugale.

9. Observez comment est construite la première longue tirade d'Arnolphe (v. 21-45).

10. Dites pourquoi la phrase qui ouvre la première longue tirade de Chrysalde (v. 46-47) ressemble à un proverbe.

11. Observez les temps verbaux utilisés par Arnolphe dans son récit (v. 129 au v. 150) ; comment pouvez-vous expliquer leur emploi ?

Genre ou thèmes

12. Comment le spectateur est-il informé des principaux éléments de l'intrigue qui va commencer ?

13. En quoi Chrysalde joue-t-il un rôle important dans l'information transmise au spectateur ?

14. En quoi Arnolphe et Chrysalde s'opposent-ils ?

Écriture

15. En prenant modèle sur la tirade d'Arnolphe (v. 21-45), rédigez en prose un texte où vous dénoncerez chez vos contemporains un autre type de mauvaise conduite.

16. En tenant compte de toutes les informations fournies par Arnolphe dans cette scène, rédigez la lettre adressée par Arnolphe à la supérieure du couvent dans lequel il a placé Agnès, afin de lui expliquer selon quels principes la petite fille doit être élevée.

17. Chrysalde raconte à l'un de ses amis l'entrevue qu'il vient d'avoir avec Arnolphe ; rédigez son discours.

Pour aller plus loin

18. Comparez plusieurs scènes initiales de pièces de théâtre. Quels sont leurs points communs ? Leurs différences ?

19. À quel(s) autre(s) personnage(s) de théâtre Arnolphe vous fait-il penser ? Pourquoi ?

20. Vous devez jouer le personnage d'Arnolphe dans cette scène : quels tons adoptez-vous successivement ? Pourquoi ?

> ## ✳ À retenir
>
> Au début d'une pièce, le dramaturge doit fournir au spectateur toutes les informations nécessaires pour comprendre la suite de l'action : présentation des personnages importants et des relations qui les unissent, dévoilement de l'enjeu principal, etc. Il doit aussi ménager un certain suspens, afin de donner au spectateur l'envie de connaître la suite de l'intrigue. C'est l'exposition, qui peut occuper la ou les premières scènes.

Scène 2 ALAIN, GEORGETTE, ARNOLPHE.

ALAIN

Qui heurte[1] ?

ARNOLPHE

Ouvrez. On aura, que je pense,

200 Grande joie à me voir après dix jours d'absence.

ALAIN

Qui va là ?

ARNOLPHE

Moi.

ALAIN

Georgette !

GEORGETTE

Eh bien ?

ALAIN

Ouvre là-bas.

GEORGETTE

Vas-y, toi.

ALAIN

Vas-y, toi.

GEORGETTE

Ma foi, je n'irai pas.

ALAIN

Je n'irai pas aussi.

ARNOLPHE

Belle cérémonie

Pour me laisser dehors ! Holà ! ho ! je vous prie.

GEORGETTE

205 Qui frappe ?

---

1. **Heurte :** frappe.

ARNOLPHE

Votre maître.

GEORGETTE

Alain !

ALAIN

Quoi ?

GEORGETTE

C'est Monsieur.

Ouvre vite.

ALAIN

Ouvre, toi.

GEORGETTE

Je souffle notre feu.

ALAIN

J'empêche, peur du chat, que mon moineau ne sorte.

ARNOLPHE

Quiconque de vous deux n'ouvrira pas la porte
N'aura point à manger de plus de quatre jours.
210 Ah !

GEORGETTE

Par quelle raison y venir, quand j'y cours ?

ALAIN

Pourquoi plutôt que moi ? Le plaisant strodagème[1] !

GEORGETTE

Ôte-toi donc de là !

ALAIN

Non, ôte-toi toi-même.

GEORGETTE

Je veux ouvrir la porte.

ALAIN

Et je veux l'ouvrir, moi.

---

1. **Strodagème :** Alain ne réussit pas à prononcer le terme *stratagème* correctement.

GEORGETTE

Tu ne l'ouvriras pas.

ALAIN

Ni toi non plus.

GEORGETTE

Ni toi.

ARNOLPHE

215 Il faut que j'aie ici l'âme bien patiente !

ALAIN, *en entrant.*

Au moins, c'est moi, monsieur.

GEORGETTE, *en entrant.*

Je suis votre servante,

C'est moi.

ALAIN

Sans le respect de Monsieur que voilà,

Je te...

ARNOLPHE, *recevant un coup d'Alain.*

Peste !

ALAIN

Pardon.

ARNOLPHE

Voyez ce lourdaud-là !

ALAIN

Mais elle aussi, Monsieur...

ARNOLPHE

Que tous deux on se taise.

220 Songez à me répondre, et laissons la fadaise[1].

Eh bien, Alain, comment se porte-t-on ici ?

ALAIN

Monsieur, nous nous... Monsieur, nous nous por... Dieu merci !

Nous nous...

(Arnolphe ôte par trois fois le chapeau de dessus la tête d'Alain.)

---

1. **Fadaise :** sotte plaisanterie.

ARNOLPHE

Qui vous apprend, impertinente bête,

À parler devant moi le chapeau sur la tête ?

ALAIN

225 Vous faites bien, j'ai tort.

ARNOLPHE, *à Alain.*

Faites descendre Agnès.

(À Georgette.)

Lorsque je m'en allai, fut-elle triste après ?

GEORGETTE

Triste ? Non.

ARNOLPHE

Non ?

GEORGETTE

Si fait[1].

ARNOLPHE

Pourquoi donc ?...

GEORGETTE

Oui, je meure[2],

Elle vous croyait voir de retour à toute heure ;

Et nous n'oyions[3] jamais passer devant chez nous

230 Cheval, âne ou mulet, qu'elle ne prit pour vous.

Scène 3   AGNÈS, ALAIN, GEORGETTE, ARNOLPHE.

ARNOLPHE

La besogne[4] à la main ! c'est un bon témoignage.

---

1. **Si fait :** si, vraiment.
2. **Meure :** « que je meure, si je ne dis pas vrai ».
3. **Oyions :** entendions.
4. **Besogne :** ouvrage (il s'agit des « cornettes » que coud Agnès ; voir v. 239).

Eh bien, Agnès, je suis de retour du voyage :
En êtes-vous bien aise ?

AGNÈS
Oui, monsieur, Dieu merci.

ARNOLPHE
Et moi, de vous revoir je suis bien aise aussi.
235 Vous vous êtes toujours, comme on voit, bien portée ?

AGNÈS
Hors les puces, qui m'ont la nuit inquiétée[1].

ARNOLPHE
Ah ! vous aurez dans peu quelqu'un pour les chasser.

AGNÈS
Vous me ferez plaisir.

ARNOLPHE
Je le puis bien penser.
Que faites-vous donc là ?

AGNÈS
Je me fais des cornettes[2].
240 Vos chemises de nuit et vos coiffes[3] sont faites.

ARNOLPHE
Ah ! voilà qui va bien. Allez, montez là-haut.
Ne vous ennuyez point, je reviendrai tantôt,
Et je vous parlerai d'affaires importantes.
(Tous étant rentrés.)
Héroïnes du temps, mesdames les savantes,
245 Pousseuses de tendresse[4] et de beaux sentiments,
Je défie à la fois tous vos vers, vos romans,
Vos lettres, billets doux, toute votre science,
De valoir cette honnête et pudique ignorance.

---

1. **Inquiétée :** dérangée.
2. **Cornettes :** coiffes portées par les femmes la nuit.
3. **Coiffes :** garnitures intérieures de chapeau.
4. **Pousseuses de tendresse :** Arnolphe parodie le langage de ces précieuses.

Scène 4 HORACE, ARNOLPHE.

ARNOLPHE

Ce n'est point par le bien[1] qu'il faut être ébloui ;
250 Et pourvu que l'honneur soit... Que vois-je ? Est-ce... Oui.
Je me trompe... Nenni[2]. Si fait. Non, c'est lui-même,
Hor...

HORACE

Seigneur Ar...

ARNOLPHE

Horace.

HORACE

Arnolphe.

ARNOLPHE

Ah ! joie extrême !

Et depuis quand ici ?

HORACE

Depuis neuf jours.

ARNOLPHE

Vraiment ?

HORACE

Je fus d'abord chez vous, mais inutilement.

ARNOLPHE

255 J'étais à la campagne.

HORACE

Oui, depuis deux journées.

ARNOLPHE

Oh ! comme les enfants croissent en peu d'années !
J'admire de le voir au point où le voilà,
Après que je l'ai vu pas plus grand que cela.

1. **Le bien :** l'argent.
2. **Nenni :** non.

HORACE

Vous voyez.

ARNOLPHE

Mais, de grâce, Oronte votre père,

260 Mon bon et cher ami que j'estime et révère
Que fait-il à présent ? Est-il toujours gaillard[1] ?
À tout ce qui le touche il sait que je prends part :
Nous ne nous sommes vus depuis quatre ans ensemble,
Ni, qui plus est, écrit l'un à l'autre, me semble.

HORACE

265 Il est, seigneur Arnolphe, encor plus gai que nous,
Et j'avais de sa part une lettre pour vous ;
Mais depuis, par une autre, il m'apprend sa venue,
Et la raison encor ne m'en est pas connue.
Savez-vous qui peut être un de vos citoyens[2]
270 Qui retourne en ces lieux avec beaucoup de biens
Qu'il s'est en quatorze ans acquis dans l'Amérique ?

ARNOLPHE

Non. Mais vous a-t-on dit comme on le nomme ?

HORACE

Enrique.

ARNOLPHE

Non.

HORACE

Mon père m'en parle, et qu'il est revenu[3],
Comme s'il devait m'être entièrement connu,
275 Et m'écrit qu'en chemin ensemble ils se vont mettre,
Pour un fait important que ne dit point sa lettre.
(Horace remet la lettre d'Oronte à Arnolphe.)

ARNOLPHE

J'aurai certainement grande joie à le voir,

---

1. **Gaillard :** en bonne santé.
2. **Citoyens :** concitoyens.
3. **Et qu'il est revenu :** et dit qu'il est revenu.

Et pour le régaler[1] je ferai mon pouvoir[2].
(Après avoir lu la lettre.)
Il faut pour des amis des lettres moins civiles,
280 Et tous ces compliments sont choses inutiles.
Sans qu'il prît le souci de m'en écrire rien,
Vous pouvez librement disposer de mon bien.

HORACE
Je suis homme à saisir les gens par leurs paroles,
Et j'ai présentement besoin de cent pistoles[3].

ARNOLPHE
285 Ma foi, c'est m'obliger que d'en user ainsi ;
Et je me réjouis de les avoir ici.
Gardez aussi la bourse.

HORACE
Il faut...

ARNOLPHE
Laissons ce style[4].
Eh bien, comment encor trouvez-vous cette ville ?

HORACE
Nombreuse en citoyens, superbe en bâtiments,
290 Et j'en crois merveilleux les divertissements.

ARNOLPHE
Chacun a ses plaisirs qu'il se fait à sa guise ;
Mais pour ceux que du nom de galants on baptise,
Ils ont en ce pays de quoi se contenter,
Car les femmes y sont faites à coqueter[5] :
295 On trouve d'humeur douce et la brune et la blonde,
Et les maris aussi les plus bénins[6] du monde.
C'est un plaisir de prince, et des tours que je voi

---

1. **Le régaler :** le fêter, lui offrir une réception.
2. **Mon pouvoir :** mon possible.
3. **Cent pistoles :** somme importante.
4. **Laissons ce style :** Arnolphe refuse l'offre d'Horace, qui allait lui proposer de lui signer une reconnaissance de dettes.
5. **Faites à coqueter :** habituées à faire la coquette.
6. **Bénins :** (trop) indulgents, laxistes.

Je me donne souvent la comédie à moi.
Peut-être en avez-vous déjà féru[1] quelqu'une.
300 Vous est-il point encore arrivé de fortune[2] ?
Les gens faits comme vous font plus que les écus,
Et vous êtes de taille à faire des cocus.

HORACE

À ne vous rien cacher de la vérité pure,
J'ai d'amour en ces lieux eu certaine aventure,
305 Et l'amitié m'oblige à vous en faire part.

ARNOLPHE, *à part.*

Bon ! voici de nouveau quelque conte gaillard[3],
Et ce sera de quoi mettre sur mes tablettes.

HORACE

Mais, de grâce, qu'au moins ces choses soient secrètes.

ARNOLPHE

Oh !

HORACE

Vous n'ignorez pas qu'en ces occasions
310 Un secret éventé rompt nos prétentions.
Je vous avouerai donc avec pleine franchise
Qu'ici d'une beauté mon âme s'est éprise.
Mes petits soins d'abord ont eu tant de succès,
Que je me suis chez elle ouvert un doux accès ;
315 Et, sans trop me vanter, ni lui faire une injure,
Mes affaires y sont en fort bonne posture.

ARNOLPHE, *riant.*

Et c'est... ?

HORACE, *lui montrant le logis d'Agnès.*

Un jeune objet[4] qui loge en ce logis,
Dont vous voyez d'ici que les murs sont rougis :

---

1. **Féru :** frappé au cœur.
2. **Fortune :** bonne fortune, et en l'occurrence aventure amoureuse.
3. **Gaillard :** (ici) hardi, osé.
4. **Objet :** objet d'amour, personne aimée (expression d'origine précieuse).

Simple[1], à la vérité, par l'erreur sans seconde
320   D'un homme qui la cache au commerce du monde[2],
Mais qui, dans l'ignorance où l'on veut l'asservir,
Fait briller des attraits capables de ravir ;
Un air tout engageant, je ne sais quoi de tendre
Dont il n'est point de cœur qui se puisse défendre.
325   Mais peut-être il n'est pas que vous n'ayez bien vu[3]
Ce jeune astre d'amour, de tant d'attraits pourvu :
C'est Agnès qu'on l'appelle.

ARNOLPHE, *à part.*
Ah ! je crève !

HORACE
Pour l'homme,

C'est, je crois, de la Zousse, ou Source, qu'on le nomme ;
Je ne me suis pas fort arrêté sur le nom :
330   Riche, à ce qu'on m'a dit, mais des plus sensés, non ;
Et l'on m'en a parlé comme d'un ridicule.
Le connaissez-vous point ?

ARNOLPHE, *à part.*
La fâcheuse pilule[4] !

HORACE
Eh ! vous ne dites mot ?

ARNOLPHE
Eh ! oui, je le connoi.

HORACE
C'est un fou, n'est-ce pas ?

ARNOLPHE
Eh...

---

1. **Simple :** naïve.
2. **Qui la cache au commerce du monde :** qui l'empêche d'avoir des relations avec les autres, qui la séquestre.
3. **Il n'est pas que vous n'ayez bien vu :** vous n'êtes pas sans avoir vu, il n'est pas possible que vous n'ayez pas vu.
4. **La fâcheuse pilule :** Arnolphe compare le récit d'Horace à une pilule difficile à avaler.

HORACE
                              Qu'en dites-vous ? Quoi !
335 Eh ! c'est-à-dire, oui. Jaloux à faire rire ?
      Sot ? Je vois qu'il en est ce que l'on m'a pu dire.
      Enfin l'aimable Agnès a su m'assujettir[1].
      C'est un joli bijou, pour ne vous point mentir,
      Et ce serait péché qu'une beauté si rare
340 Fût laissée au pouvoir de cet homme bizarre.
      Pour moi, tous mes efforts, tous mes vœux les plus doux,
      Vont à[2] m'en rendre maître en dépit du jaloux ;
      Et l'argent que de vous j'emprunte avec franchise
      N'est que pour mettre à bout[3] cette juste entreprise.
345 Vous savez mieux que moi, quels que soient nos efforts,
      Que l'argent est la clef de tous les grands ressorts,
      Et que ce doux métal, qui frappe tant de têtes[4],
      En amour, comme en guerre, avance les conquêtes.
      Vous me semblez chagrin[5] ! Serait-ce qu'en effet
350 Vous désapprouveriez le dessein que j'ai fait ?

ARNOLPHE
Non ; c'est que je songeais...

HORACE
                              Cet entretien vous lasse.
Adieu. J'irai chez vous tantôt vous rendre grâce.

ARNOLPHE, *se croyant seul.*
Ah ! faut-il...

HORACE, *revenant.*
                  Derechef, veuillez être discret ;
Et n'allez pas, de grâce, éventer mon secret.
(Il s'en va.)

ARNOLPHE, *se croyant seul.*
355 Que je sens dans mon âme...

---

1. **M'assujettir :** faire de moi son chevalier servant.
2. **Vont à :** visent à.
3. **Mettre à bout :** venir à bout de.
4. **Qui frappe tant de têtes :** qui trouble tant de têtes.
5. **Chagrin (adjectif) :** fâché et triste.

        HORACE, *revenant.*

                   Et surtout à mon père,
Qui s'en ferait peut-être un sujet de colère.

    ARNOLPHE, *croyant qu'Horace revient encore.*
Oh !... que j'ai souffert durant cet entretien !
Jamais trouble d'esprit ne fut égal au mien.
Avec quelle imprudence et quelle hâte extrême
360 Il m'est venu conter cette affaire à moi-même !
Bien que mon autre nom le tienne dans l'erreur,
Étourdi montra-t-il jamais tant de fureur[1] ?
Mais, ayant tant souffert, je devais[2] me contraindre,
Jusques à m'éclaircir[3] de ce que je dois craindre,
365 À pousser jusqu'au bout son caquet indiscret,
Et savoir pleinement leur commerce[4] secret.
Tâchons à le rejoindre ; il n'est pas loin, je pense ;
Tirons-en de ce fait[5] l'entière confidence.
Je tremble du malheur qui m'en peut arriver,
370 Et l'on cherche souvent plus qu'on ne veut trouver.

---

1. **Fureur :** folie.
2. **Je devais :** j'aurais dû.
3. **M'éclaircir :** m'informer.
4. **Commerce :** relation.
5. **De ce fait :** de cette affaire.

Clefs d'analyse

Action et personnages

1. Qui est Oronte ? Qu'apprenons-nous sur lui ?

2. Quels sont les liens qui unissent Horace et Arnolphe ?

3. Que sait Horace ?

4. Que sait Arnolphe ?

5. Que sait le spectateur ?

6. À quel moment peut-on parler de coup de théâtre ?

Langue

7. Observez les termes employés par Horace pour désigner Arnolphe. Sont-ils appropriés ?

8. Comparez le lexique employé par Horace pour désigner Agnès (v. 317-327) avec celui qu'employait Arnolphe dans la première scène.

9. Comparez les termes utilisés par Arnolphe d'une part (v. 291-302), par Horace d'autre part (v. 309-327), pour parler de l'amour.

Genre ou thèmes

10. Quelle sont les informations nouvelles apportées par cette scène ?

11. Comment se manifeste l'obsession d'Arnolphe ?

12. En observant l'évolution des sentiments d'Arnolphe, du ton de la conversation et des sujets évoqués, montrez quels sont les différentes phases de ce dialogue.

13. En quoi le mouvement de cette scène reproduit-il le mouvement général de tout le premier acte ?

14. En quoi cette scène modifie-t-elle l'image que le spectateur avait d'Agnès jusqu'alors ?

15. Pourquoi Arnolphe choisit-il de ne rien dire ? (v. 332)

Écriture

16. Horace a rencontré un voisin de M. de la Souche, qui lui a décrit ce dernier (voir v. 330-331) ; rédigez leur dialogue.

17. Horace écrit à son meilleur ami pour lui raconter sa rencontre avec Agnès et l'impression qu'elle a produite sur lui. Rédigez cette lettre.

18. Vous dirigez les acteurs qui jouent cette scène. Rédigez les instructions que vous donneriez à l'acteur chargé d'interpréter le personnage d'Arnolphe : ton, gestes, mimiques, etc.

Pour aller plus loin

19. Connaissez-vous d'autres scènes de théâtre reposant sur le quiproquo ? En quoi est-ce un procédé intéressant pour un dramaturge ? Est-ce uniquement un procédé comique ?

20. Dès les premières représentations, les critiques ont jugé que le prêt fait par Arnolphe à Horace n'était pas vraisemblable. Qu'en pensez-vous ? Quel est le rôle de ce geste dans la structure de la scène ? Pensez-vous que le théâtre doive nécessairement être vraisemblable ?

✳ À retenir

Le quiproquo est un procédé précieux pour le dramaturge : non seulement il peut relancer l'action et fonctionner comme ressort comique, mais il permet d'informer certains personnages de ce qu'ils ne seraient pas censés savoir. Ici, ce procédé est doté d'une intensité dramatique d'autant plus grande que le quiproquo a lieu entre les deux rivaux, et qu'il donne lieu à un coup de théâtre magistral (v. 317).

ACTE II
Scène 1 ARNOLPHE.

Il m'est, lorsque j'y pense, avantageux sans doute
D'avoir perdu mes pas[1], et pu manquer sa route :
Car enfin de mon cœur le trouble impérieux
N'eût pu se renfermer tout entier à ses yeux ;
375 Il eût fait éclater l'ennui[2] qui me dévore,
Et je ne voudrais pas qu'il sût ce qu'il ignore.
Mais je ne suis pas homme à gober le morceau,
Et laisser un champ libre aux vœux du damoiseau,
J'en veux rompre le cours, et, sans tarder, apprendre
380 Jusqu'où l'intelligence[3] entre eux a pu s'étendre :
J'y prends pour mon honneur un notable intérêt ;
Je la regarde en femme, aux termes qu'elle en est[4] ;
Elle n'a pu faillir sans me couvrir de honte,
Et tout ce qu'elle fait enfin est sur mon compte[5].
385 Éloignement fatal ! voyage malheureux !
(Frappant à la porte.)

Scène 2 ALAIN, GEORGETTE, ARNOLPHE.

ALAIN
Ah ! monsieur, cette fois...

---

1. **Avoir perdu mes pas :** avoir couru inutilement.
2. **Ennui :** désespoir.
3. **Intelligence :** entente, complicité.
4. **Je la regarde en femme, aux termes qu'elle en est :** je la considère comme ma femme, au point où elle en est.
5. **Est sur mon compte :** est de ma faute.

ARNOLPHE
Paix ! Venez çà[1] tous deux :
Passez là, passez là. Venez là, venez, dis-je.

GEORGETTE
Ah ! vous me faites peur, et tout mon sang se fige.

ARNOLPHE
C'est donc ainsi qu'absent[2] vous m'avez obéi,
390 Et tous deux, de concert, vous m'avez donc trahi ?

GEORGETTE, *tombant aux genoux d'Arnolphe.*
Eh ! ne me mangez pas, monsieur, je vous conjure.

ALAIN, *à part.*
Quelque chien enragé l'a mordu, je m'assure[3].

ARNOLPHE, *à part.*
Ouf ![4] je ne puis parler, tant je suis prévenu[5],
Je suffoque, et voudrais me pouvoir mettre nu.
(À Alain et à Georgette.)
395 Vous avez donc souffert, ô canaille maudite !
Qu'un homme soit venu...
(À Alain qui veut s'enfuir.)
              Tu veux prendre la fuite !
Il faut que sur-le-champ...
(À Georgette.)
               Si tu bouges... Je veux
Que vous me disiez... Euh ! oui, je veux que tous deux...
(Alain et Georgette se lèvent, et veulent encore s'enfuir.)
Quiconque remuera, par la mort[6] ! je l'assomme.
400 Comme est-ce que chez moi s'est introduit cet homme ?

---

1. **Çà :** ici.
2. **Absent :** lorsque j'étais absent.
3. **Je m'assure :** j'en suis sûr.
4. **Ouf ! :** l'interjection exprime en français classique la douleur, et non le soulagement.
5. **Prévenu :** inquiet.
6. **Par la mort :** par la mort de Dieu (juron).

Eh ! parlez. Dépêchez, vite, promptement, tôt,
Sans rêver[1]. Veut-on dire ?

    ALAIN ET GEORGETTE, *tombant aux genoux d'Arnolphe.*
                      Ah ! Ah !

    GEORGETTE, *retombant aux genoux d'Arnolphe.*
                        Le cœur me faut[2] !

    ALAIN, *retombant aux genoux d'Arnolphe.*
Je meurs !

        ARNOLPHE, *à part.*
    Je suis en eau : prenons un peu d'haleine ;
Il faut que je m'évente et que je me promène.
405 Aurais-je deviné, quand je l'ai vu petit,
Qu'il croîtrait pour cela ? Ciel ! que mon cœur pâtit[3] !
Je pense qu'il vaut mieux que de sa propre bouche
Je tire avec douceur l'affaire qui me touche.
Tâchons à modérer notre ressentiment.
410 Patience, mon cœur, doucement, doucement.
(À Alain et à Georgette.)
Levez-vous, et, rentrant, faites qu'Agnès descende.
Arrêtez.
(À part.)
    Sa surprise en deviendrait moins grande :
Du chagrin[4] qui me trouble ils iraient l'avertir,
Et moi-même je veux l'aller faire sortir.
(À Alain et à Georgette.)
415 Que l'on m'attende ici.

---

1. **Rêver :** rêvasser.
2. **Faut :** fait défaut.
3. **Pâtit :** souffre.
4. **Chagrin :** irritation.

Scène 3 ALAIN, GEORGETTE.

GEORGETTE

Mon Dieu, qu'il est terrible !
Ses regards m'ont fait peur, mais une peur horrible,
Et jamais je ne vis un plus hideux chrétien.

ALAIN

Ce monsieur l'a fâché ; je te le disais bien.

GEORGETTE

Mais que diantre[1] est-ce là, qu'avec tant de rudesse
420 Il nous fait au logis garder notre maîtresse ?
D'où vient qu'à tout le monde il veut tant la cacher,
Et qu'il ne saurait voir personne en approcher ?

ALAIN

C'est que cette action le met en jalousie.

GEORGETTE

Mais d'où vient qu'il est pris de cette fantaisie[2] ?

ALAIN

425 Cela vient... Cela vient de ce qu'il est jaloux.

GEORGETTE

Oui ; mais pourquoi l'est-il ? et pourquoi ce courroux ?

ALAIN

C'est que la jalousie... entends-tu bien, Georgette,
Est une chose... là... qui fait qu'on s'inquiète...
Et qui chasse les g ens d'autour d'une maison.
430 Je m'en vais te bailler[3] une comparaison,
Afin de concevoir[4] la chose davantage.
Dis-moi, n'est-il pas vrai, quand tu tiens ton potage

---

1. **Diantre :** diable.
2. **Fantaisie :** lubie, caprice.
3. **Bailler :** donner.
4. **Afin de concevoir :** pour que tu comprennes.

Que si quelque affamé venait pour en manger,
Tu serais en colère, et voudrais le charger[1] ?

GEORGETTE

435 Oui, je comprends cela.

ALAIN

C'est justement tout comme.
La femme est en effet le potage de l'homme ;
Et, quand un homme voit d'autres hommes parfois
Qui veulent dans sa soupe aller tremper leurs doigts,
Il en montre aussitôt une colère extrême.

GEORGETTE

440 Oui ; mais pourquoi chacun n'en fait-il pas de même
Et que[2] nous en voyons qui paraissent joyeux
Lorsque leurs femmes sont avec les biaux monsieux ?

ALAIN

C'est que chacun n'a pas cette amitié goulue[3]
Qui n'en veut que pour soi.

GEORGETTE

Si je n'ai la berlue[4],
445 Je le vois qui revient.

ALAIN

Tes yeux sont bons, c'est lui.

GEORGETTE

Vois comme il est chagrin[5].

ALAIN

C'est qu'il a de l'ennui.

---

1. **Charger :** donner la charge, attaquer.
2. **Et que... ? :** et comment se fait-il que... ?
3. **Amitié goulue :** amour trop avide.
4. **Berlue :** éblouissement passager.
5. **Chagrin :** irritation.

Clefs d'analyse

Acte II, scènes 1, 2 et 3

Action et personnages

1. Que s'est-il passé pendant l'entracte séparant l'acte I et l'acte II ?

2. En quoi la stratégie d'Arnolphe a-t-elle changé ?

3. Quel est le lien entre les scènes 2 et 3 ?

4. Quels sont les stratagèmes successivement envisagés par Arnolphe ?

5. Pourquoi Arnolphe décide-t-il d'aller lui-même chercher Agnès (v. 414) ?

Langue

6. Dans la scène 1, observez les termes ou expressions appartenant au lexique comique, et ceux appartenant au registre tragique.

7. Dans la scène 2, relevez les procédés par lesquels Arnolphe exprime l'ordre.

8. Dans la scène 2, observez l'enchaînement des répliques et montrez que ce sont Alain et Georgette qui dominent le dialogue.

9. Quel est le niveau de langue d'Alain et de Georgette ? Relevez-en des marques.

Genre ou thèmes

10. La scène 3 est la première dont Arnolphe soit absent. Comment Molière exploite-t-il cette absence ?

11. Comment caractériseriez-vous les types de comiques mis en œuvre dans ces trois scènes ?

12. Dans la scène 1, comment définiriez-vous l'état d'esprit d'Arnolphe ? Est-il blessé dans son amour ? Dans sa fierté ?

13. Comment définiriez-vous Georgette et Alain ?

14. À quoi sert la scène 3 ?

Écriture

15. À la manière d'Alain (v. 430-439), utilisez une comparaison pour décrire le caractère possessif de l'amant jaloux, et développez-la.

16. Rédigez un dialogue entre deux collégiens, dont l'un n'a pas respecté l'engagement qu'il avait pris envers l'autre.

Pour aller plus loin

17. Les rapports entre maîtres et valets jouent un rôle fondamental dans de nombreuses pièces de théâtre : citez quelques exemples, et comparez-les.

18. Donneau de Visé décrivait en ces termes la manière dont Molière lui-même mettait en scène la confrontation d'Arnolphe avec ses valets (II, 2) : « il n'est pas vraisemblable que deux personnes tombent par symétrie jusqu'à six ou sept fois à genoux, aux deux côtés de leur maître » (*Zélinde*, sc. 3, 1663). Qu'en pensez-vous ? De quelle manière mettriez-vous en scène cet épisode ? Rédigez des indications précises concernant les mouvements que doivent effectuer, à tel ou tel moment, les différents comédiens.

✳ À retenir

Les valets remplissent de multiples fonctions dans le théâtre classique : d'une part, ils jouent souvent un rôle (d'adjuvant ou d'opposant) dans l'intrigue ; d'autre part, ils fournissent un contrepoint et un reflet à l'action principale. En outre, ici, les valets se font en quelque sorte la voix du bon sens et permettent à Molière une variation amusante sur le thème de la jalousie.

Scène 4 ARNOLPHE, AGNÈS, ALAIN, GEORGETTE.

ARNOLPHE, *à part.*

Un certain Grec[1] disait à l'empereur Auguste,
Comme une instruction utile autant que juste,
Que lorsqu'une aventure en colère nous met,
450 Nous devons, avant tout, dire notre alphabet,
Afin que dans ce temps la bile[2] se tempère,
Et qu'on ne fasse rien que l'on ne doive faire,
J'ai suivi sa leçon sur le sujet d'Agnès,
Et je la fis venir dans ce lieu tout exprès,
455 Sous prétexte d'y faire un tour de promenade,
Afin que les soupçons de mon esprit malade
Puissent sur le discours[3] la mettre adroitement,
Et, lui sondant le cœur, s'éclaircir doucement.
Venez, Agnès. Rentrez[4].

Scène 5 ARNOLPHE, AGNÈS.

ARNOLPHE
La promenade est belle.

---

1. **Un certain Grec :** il s'agit d'un philosophe évoqué par l'historien grec Plutarque.
2. **Bile :** l'une des quatre humeurs fondamentales que la médecine de l'époque croyait présentes dans l'homme ; l'excès de bile était censé être à l'origine de la colère.
3. **Sur le discours :** sur le sujet.
4. **Rentrez :** l'ordre s'adresse à Alain et Georgette.

AGNÈS

460 Fort belle.

ARNOLPHE

Le beau jour !

AGNÈS

Fort beau.

ARNOLPHE

Quelle nouvelle ?

AGNÈS

Le petit chat est mort.

ARNOLPHE

C'est dommage ; mais quoi !
Nous sommes tous mortels, et chacun est pour soi.
Lorsque j'étais aux champs, n'a-t-il point fait de pluie ?

AGNÈS

Non.

ARNOLPHE

Vous ennuyait-il ?[1]

AGNÈS

Jamais je ne m'ennuie.

ARNOLPHE

465 Qu'avez-vous fait encor ces neuf ou dix jours-ci ?

AGNÈS

Six chemises, je pense, et six coiffes aussi.

ARNOLPHE, *ayant un peu rêvé.*

Le monde, chère Agnès, est une étrange chose !
Voyez la médisance, et comme chacun cause !
Quelques voisins m'ont dit qu'un jeune homme inconnu
470 Était, en mon absence, à la maison venu ;
Que vous aviez souffert[2] sa vue et ses harangues[3].

---

1. **Vous ennuyait-il ? :** vous êtes-vous ennuyée ?
2. **Que vous aviez souffert :** que vous aviez toléré.
3. **Ses harangues :** ses discours (terme péjoratif).

Mais je n'ai point pris foi sur[1] ces méchantes langues,
Et j'ai voulu gager que c'était faussement...

AGNÈS

Mon Dieu ! ne gagez[2] pas, vous perdriez vraiment.

ARNOLPHE

475 Quoi ! c'est la vérité qu'un homme...

AGNÈS

                               Chose sûre,
Il n'a presque bougé de chez nous, je vous jure.

ARNOLPHE, *bas à part.*

Cet aveu qu'elle fait avec sincérité
Me marque pour le moins son ingénuité.
(Haut.)
Mais il me semble, Agnès, si ma mémoire est bonne,
480 Que j'avais défendu que vous vissiez personne.

AGNÈS

Oui ; mais quand je l'ai vu, vous ignoriez pourquoi ;
Et vous en auriez fait, sans doute, autant que moi.

ARNOLPHE

Peut-être. Mais enfin contez-moi cette histoire.

AGNÈS

Elle est fort étonnante, et difficile à croire.
485 J'étais sur le balcon à travailler au frais,
Lorsque je vis passer sous les arbres d'auprès
Un jeune homme bien fait, qui, rencontrant ma vue,
D'une humble révérence aussitôt me salue :
Moi, pour ne point manquer à la civilité,
490 Je fis la révérence aussi de mon côté.
Soudain il me refait une autre révérence ;
Moi, j'en refais de même une autre en diligence[3] ;

---

1. **Je n'ai point pris foi sur :** je ne me suis pas fié à, je n'ai pas accordé ma confiance à.
2. **Gagez :** pariez.
3. **En diligence :** en me hâtant, rapidement.

Et lui d'une troisième aussitôt repartant[1],
D'une troisième aussi j'y repars[2] à l'instant.
495 Il passe, vient, repasse, et toujours de plus belle
Me fait à chaque fois révérence nouvelle ;
Et moi, qui tous ces tours fixement regardais,
Nouvelle révérence aussi je lui rendais :
Tant que, si sur ce point[3] la nuit ne fût venue,
500 Toujours comme cela je me serais tenue,
Ne voulant point céder, ni recevoir l'ennui
Qu'il me pût estimer moins civile que lui.

ARNOLPHE

Fort bien.

AGNÈS

Le lendemain, étant sur notre porte[4],
Une vieille m'aborde, en parlant de la sorte :
505 « Mon enfant, le bon Dieu puisse-t-il vous bénir,
Et dans tous vos attraits longtemps vous maintenir !
Il ne vous a pas fait une belle personne,
Afin de mal user des choses qu'il vous donne ;
Et vous devez savoir que vous avez blessé[5]
510 Un cœur qui de s'en plaindre est aujourd'hui forcé. »

ARNOLPHE, *à part.*

Ah ! suppôt[6] de Satan ! exécrable damnée !

AGNÈS

« Moi, j'ai blessé quelqu'un ? fis-je tout étonnée.
– Oui, dit-elle, blessé, mais blessé tout de bon[7] ;
Et c'est l'homme qu'hier vous vîtes du balcon. »
515 – Hélas ! qui[8] pourrait, dis-je, en avoir été cause ?

---

1. **Repartant :** répliquant, répondant.
2. **J'y repars :** je lui réponds.
3. **Sur ce point :** à ce moment.
4. **Étant sur notre porte :** alors que j'étais à notre porte.
5. **Blessé :** blessé d'amour (mais Agnès ne comprend pas ce sens figuré).
6. **Suppôt :** serviteur, partisan.
7. **Tout de bon :** vraiment.
8. **Qui :** qu'est-ce qui.

Sur lui, sans y penser, fis-je choir quelque chose ?
– Non, dit-elle ; vos yeux ont fait ce coup fatal,
Et c'est de leurs regards qu'est venu tout son mal. »
– Eh, mon Dieu ! ma surprise est, fis-je, sans seconde ;
520 Mes yeux ont-ils du mal, pour en donner au monde ?
– Oui, fit-elle, vos yeux, pour causer le trépas,
Ma fille, ont un venin que vous ne savez pas,
En un mot, il languit[1], le pauvre misérable ;
Et s'il faut, poursuivit la vieille charitable,
525 Que votre cruauté lui refuse un secours,
C'est un homme à porter en terre dans deux jours. »
– Mon Dieu ! j'en aurais, dis-je, une douleur bien grande.
Mais pour le secourir qu'est-ce qu'il me demande ?
– Mon enfant, me dit-elle, il ne veut obtenir
530 Que le bien de vous voir et vous entretenir ;
Vos yeux peuvent eux seuls empêcher sa ruine,
Et du mal qu'ils ont fait être la médecine[2].
– Hélas ! volontiers, dis-je ; et, puisqu'il est ainsi,
Il peut, tant qu'il voudra, me venir voir ici. »

ARNOLPHE, *à part.*

535 Ah ! sorcière maudite, empoisonneuse d'âmes,
Puisse l'enfer payer tes charitables trames[3] !

AGNÈS

Voilà comme il me vit, et reçut guérison.
Vous-même[4], à votre avis, n'ai-je pas eu raison ?
Et pouvais-je, après tout, avoir la conscience
540 De le laisser mourir[5] faute d'une assistance ?
Moi qui compatis tant aux gens qu'on fait souffrir,
Et ne puis, sans pleurer, voir un poulet mourir.

---

1. **Il languit :** il dépérit, il est malade.
1. **La médecine :** le remède.
3. **Trames :** intrigues.
4. **Vous-même :** vous-même, dites-moi.
5. **Avoir la conscience de le laisser mourir :** avoir le cœur de le laisser mourir.

ARNOLPHE, bas, à part.

Tout cela n'est parti que d'une âme innocente
Et j'en dois accuser mon absence imprudente,
545 Qui sans guide a laissé cette bonté de mœurs
Exposée aux aguets des rusés séducteurs.
Je crains que le pendard, dans ses vœux téméraires,
Un peu plus haut que jeu n'ait poussé les affaires.

AGNÈS

Qu'avez-vous ? Vous grondez[1], ce me semble, un petit.
550 Est-ce que c'est mal fait ce que je vous ai dit ?

ARNOLPHE

Non. Mais de cette vue apprenez-moi les suites,
Et comme le jeune homme a passé ses visites.

AGNÈS

Hélas[2] ! si vous saviez comme il était ravi,
Comme il perdit son mal sitôt que je le vi,
555 Le présent qu'il m'a fait d'une belle cassette[3],
Et l'argent qu'en ont eu[4] notre Alain et Georgette,
Vous l'aimeriez sans doute, et diriez comme nous...

ARNOLPHE

Oui, mais que faisait-il étant seul avec vous ?

AGNÈS

Il disait qu'il m'aimait d'une amour sans seconde,
560 Et me disait des mots les plus gentils du monde,
Des choses que jamais rien ne peut égaler,
Et dont, toutes les fois que je l'entends parler,
La douceur me chatouille, et là dedans remue
Certain je ne sais quoi dont je suis tout émue.

---

1. **Vous grondez [...] un petit :** vous bougonnez un peu.
2. **Hélas :** exprime au XVIIᵉ siècle l'attendrissement, et non la plainte comme aujourd'hui.
3. **Cassette :** coffret.
4. **Qu'en ont eu :** qu'ont reçu de lui.

ARNOLPHE, *bas, à part.*

565 Ô fâcheux examen d'un mystère fatal,
Où l'examinateur souffre seul tout le mal !
(À Agnès.)
Outre tous ces discours, toutes ces gentillesses,
Ne vous faisait-il point aussi quelques caresses ?

AGNÈS

Oh ! tant ! il me prenait et les mains et les bras,
570 Et de me les baiser il n'était jamais las.

ARNOLPHE

Ne vous a-t-il point pris, Agnès, quelque autre chose ?
(La voyant interdite.)
Ouf[1] !

AGNÈS

Eh ! il m'a...

ARNOLPHE

Quoi ?

AGNÈS

Pris…

ARNOLPHE

Euh ?[2]

AGNÈS

Le...[3]

ARNOLPHE

Plaît-il ?[4]

AGNÈS

Je n'ose,
Et vous vous fâcherez peut-être contre moi.

---

1. **Ouf :** expression de la douleur.
2. **Euh ? :** hé !
3. **Le... :** Arnolphe (comme, sans doute, le spectateur) comprend à tort : le sexe, le pucelage (la virginité) – mais ce n'est pas ce que veut dire Agnès, comme le montre le suite du dialogue.
4. **Plaît-il ? :** comment ?

ARNOLPHE

Non.

AGNÈS

Si fait1[1].

ARNOLPHE

Mon Dieu ! non.

AGNÈS

Jurez donc votre foi.

ARNOLPHE

575 Ma foi, soit.

AGNÈS

Il m'a pris... Vous serez en colère.

ARNOLPHE

Non.

AGNÈS

Si.

ARNOLPHE

Non, non, non, non. Diantre ! que de mystère !
Qu'est-ce qu'il vous a pris ?

AGNÈS

Il...

ARNOLPHE, *à part.*

Je souffre en damné.

AGNÈS

Il m'a pris le ruban que vous m'aviez donné.
À vous dire le vrai, je n'ai pu m'en défendre.

ARNOLPHE, *reprenant haleine.*

580 Passe pour le ruban. Mais je voulais apprendre
S'il ne vous a rien fait que vous baiser les bras.

AGNÈS

Comment ! est-ce qu'on fait d'autres choses ?

ARNOLPHE

Non pas.

---

1. **Si fait :** si, vraiment.

Mais, pour guérir du mal qu'il dit qui le possède[1],
N'a-t-il point exigé de vous d'autre remède ?

AGNÈS

585 Non. Vous pouvez juger, s'il en eût demandé,
Que pour le secourir j'aurais tout accordé.

ARNOLPHE, *bas, à part.*

Grâce aux bontés du ciel, j'en suis quitte à bon compte :
Si je retombe plus[2], je veux bien qu'on m'affronte[3].
Chut.
(Haut.)
De votre innocence, Agnès, c'est un effet ;
590 Je ne vous en dis mot. Ce qui s'est fait est fait.
Je sais qu'en vous flattant le galant ne désire
Que de vous abuser[4], et puis après s'en rire.

AGNÈS

Oh ! point ! Il me l'a dit plus de vingt fois à moi.

ARNOLPHE

Ah ! vous ne savez pas ce que c'est que sa foi.
595 Mais enfin apprenez qu'accepter des cassettes,
Et de ces beaux blondins[5] écouter les sornettes[6],
Que se laisser par eux, à force de langueur[7],
Baiser ainsi les mains et chatouiller le cœur,
Est un péché mortel des plus gros qu'il se fasse.

AGNÈS

600 Un péché, dites-vous ? Et la raison, de grâce ?

ARNOLPHE

La raison ? La raison est l'arrêt prononcé
Que par ces actions le ciel est courroucé.

---

1. **Qu'il dit qui le possède :** qui, dit-il, le possède.
2. **Si je retombe plus :** si je commets à nouveau une telle erreur.
3. **Qu'on m'affronte :** qu'on me fasse affront, qu'on me tourne en ridicule.
4. **Abuser :** tromper.
5. **Blondins :** jeunes galants.
6. **Sornettes :** bêtises trompeuses.
7. **Langueur :** affaiblissement physique et moral, qui peut être causé par l'amour.

AGNÈS

Courroucé ! Mais pourquoi faut-il qu'il s'en courrouce ?
C'est une chose, hélas ! si plaisante et si douce !
605 J'admire quelle joie on goûte à tout cela ;
Et je ne savais point encor ces choses-là.

ARNOLPHE

Oui, c'est un grand plaisir que toutes ces tendresses,
Ces propos si gentils, et ces douces caresses ;
Mais il faut le goûter en toute honnêteté,
610 Et qu'en se mariant le crime[1] en soit ôté.

AGNÈS

N'est-ce plus un péché lorsque l'on se marie ?

ARNOLPHE

Non.

AGNÈS

Mariez-moi donc promptement, je vous prie.

ARNOLPHE

Si vous le souhaitez, je le souhaite aussi ;
Et pour vous marier on me revoit ici.

AGNÈS

615 Est-il possible ?

ARNOLPHE

Oui.

AGNÈS

Que vous me ferez aise ![2]

ARNOLPHE

Oui, je ne doute point que l'hymen ne vous plaise.

AGNÈS

Vous nous voulez, nous deux...

ARNOLPHE

Rien de plus assuré.

---

1. **Crime :** faute grave.
2. **Que vous me ferez aise !** : que vous me ferez plaisir !

AGNÈS

Que, si cela se fait, je vous caresserai[1] !

ARNOLPHE

Eh ! la chose sera de ma part réciproque.

AGNÈS

620 Je ne reconnais point, pour moi, quand on se moque.
Parlez-vous tout de bon ?

ARNOLPHE

Oui, vous le pourrez voir.

AGNÈS

Nous serons mariés ?

ARNOLPHE

Oui.

AGNÈS

Mais quand ?

ARNOLPHE

Dès ce soir.

AGNÈS, *riant.*

Dès ce soir ?

ARNOLPHE

Dès ce soir. Cela vous fait donc rire ?

AGNÈS

Oui.

ARNOLPHE

Vous voir bien contente est ce que je désire.

AGNÈS

625 Hélas ! que je vous ai grande obligation !
Et qu'avec lui j'aurai de satisfaction !

ARNOLPHE

Avec qui ?

AGNÈS

Avec... Là...

---

1. **Je vous caresserai :** je vous serai agréable. Mais le terme a aussi au XVIIe siècle son sens moderne, et Arnolphe, dans sa réponse, joue sur ce double sens.

ARNOLPHE

Là... Là n'est pas mon compte,

À choisir un mari vous êtes un peu prompte.

C'est un autre, en un mot, que je vous tiens tout prêt,

630 Et quant au monsieur là, je prétends, s'il vous plaît,

Dût le mettre au tombeau le mal dont il vous berce

Qu'avec lui désormais vous rompiez tout commerce ;

Que, venant au logis[1], pour votre compliment[2],

Vous lui fermiez au nez la porte honnêtement :

635 Et lui jetant, s'il heurte[3], un grès[4] par la fenêtre,

L'obligiez tout de bon à ne plus y paraître.

M'entendez-vous, Agnès ? Moi, caché dans un coin,

De votre procédé[5] je serai le témoin.

AGNÈS

Las ! il est si bien fait ! C'est...

ARNOLPHE

Ah ! que de langage ![6]

AGNÈS

640 Je n'aurai pas le cœur...

ARNOLPHE

Point de bruit davantage.

Montez là-haut.

AGNÈS

Mais quoi ! voulez-vous...

ARNOLPHE

C'est assez.

Je suis maître, je parle : allez, obéissez[7].

---

1. **Venant au logis :** quand il viendra au logis.
2. **Pour votre compliment :** pour vous faire des salutations.
3. **Heurte :** frappe.
4. **Un grès :** (ici) un gros caillou.
5. **De votre procédé :** de ce que vous ferez.
6. **Que de langage !** : que de discours !
7. **Je suis maître, je parle :** allez, obéissez : Molière reprend ici de manière paro-
dique une réplique de Pompée dans la tragédie de Corneille intitulée *Sertorius*.

Clefs d'analyse

Action et personnages

1. De quelle humeur Arnolphe est-il lorsque commence cette scène ? Pourquoi est-il plus apaisé qu'auparavant (voir la scène 4) ?

2. Quels sont les deux quiproquos qui animent la scène ? Quels sont leurs points communs et leurs différences ?

3. Quel rôle a joué la vieille femme ?

4. Comment Agnès décrit-elle les effets physiques de l'amour naissant ?

5. En quoi la précision « dès ce soir » (v. 622) est-elle importante ?

Langue

6. Observez le jeu des modalités dans les répliques d'Arnolphe et d'Agnès : en quoi permettent-elles de mettre au jour la progression de la scène ?

7. À quel moment précis les deux quiproquos se nouent-ils et se dénouent-ils ? Quels sont les termes qui jouent à cet égard un rôle décisif ?

8. La dernière réplique d'Arnolphe est empruntée à un héros tragique de Corneille (v. 641-642) : quel effet cet emprunt produit-il ?

9. Étudiez la manière dont Agnès évoque la naissance de son amour : syntaxe, rythme, lexique, etc.

10. Observez le mélange de piété et de galanterie qui caractérise les propos de la vieille entremetteuse.

Genre ou thèmes

11. Pourquoi la scène 5 était-elle très attendue par le spectateur ?

12. En quoi le spectateur participe-t-il aux deux quiproquos ?

13. Pourquoi Agnès raconte-t-elle ce qui lui est arrivé de manière aussi détaillée ?

14. En quoi la naïveté d'Agnès est-elle source de comique ?

15. Observez les différents mouvements qui se succèdent dans l'interrogatoire d'Agnès (v. 459-489).

16. Quel est le rôle des apartés d'Arnolphe ?

17. Quel usage Arnolphe fait-il de la religion ?

18. Pourquoi Arnolphe laisse-t-il le quiproquo se prolonger (v. 613-624) ? Comment essaie-t-il de détourner à son profit l'amour naissant d'Agnès ?

Écriture

19. Horace donne ses instructions à la vieille entremetteuse. Rédigez leur dialogue.

20. Arnolphe rencontre la vieille entremetteuse et lui reproche violemment sa conduite. Rédigez son discours.

Pour aller plus loin

21. Imaginez la scène de rencontre décrite par Agnès ; si vous deviez la mettre en scène (comme pour un flash-back dans un film), comment vous y prendriez-vous ? Quels effets comiques exploiteriez-vous ? En quoi le récit de cet épisode est-il cependant aussi, sinon plus comique que sa représentation directe ?

22. À travers Agnès se fait entendre la défense d'une morale du plaisir, qui n'est pas sans rappeler la philosophie épicurienne que Molière avait pu découvrir auprès de certains libertins. Informez-vous sur le philosophe grec Épicure et sur sa pensée, et présentez votre exposé devant vos camarades.

✳ À retenir

Molière exploite ici une grande variété de procédés comiques : comique de geste (gestuelle farcesque), comique de caractère (colère, naïveté extrême), comique de mots et de situation (quiproquos, malentendus et équivoques). En cette fin de second acte, la tension dramatique est à son comble.

ACTE III

Scène 1 ARNOLPHE, AGNÈS, ALAIN, GEORGETTE.

ARNOLPHE

Oui, tout a bien été, ma joie est sans pareille :
Vous avez là suivi mes ordres à merveille,
645 Confondu de tout point le blondin séducteur ;
Et voilà de quoi sert un sage directeur[1].
Votre innocence, Agnès, avait été surprise :
Voyez, sans y penser, où vous vous étiez mise.
Vous enfiliez tout droit, sans mon instruction[2],
650 Le grand chemin d'enfer et de perdition.
De tous ces damoiseaux on sait trop les coutumes :
Ils ont de beaux canons[3], force rubans et plumes,
Grands cheveux, belles dents, et des propos fort doux ;
Mais, comme je vous dis, la griffe est là-dessous ;
655 Et ce sont vrais satans, dont la gueule altérée
De l'honneur féminin cherche à faire curée[4].
Mais, encore une fois, grâce au soin apporté,
Vous en êtes sortie avec honnêteté.
L'air dont je vous ai vu lui jeter cette pierre,
660 Qui de tous ses desseins a mis l'espoir par terre,
Me confirme encor mieux à ne point différer
Les noces où[5] je dis qu'il vous faut préparer.
Mais, avant toute chose, il est bon de vous faire
Quelque petit discours qui vous soit salutaire.

---

1. **Directeur :** directeur de conscience.
2. **Sans mon instruction :** si je ne vous avais pas conseillée.
3. **Canons :** ornements de dentelle qui se portaient au-dessus du genou.
4. **Faire curée :** au sens propre, l'expression désigne l'action des chiens de chasse, qui se partagent la bête qu'ils ont prise.
5. **Où :** auxquelles.

665 Un siège au frais ici.
(À Georgette et à Alain.)

                 Vous, si jamais en rien...

GEORGETTE

De toutes vos leçons nous nous souviendrons bien,
Cet autre monsieur-là nous en faisait accroire[1] ;
Mais...

ALAIN

        S'il entre jamais, je veux jamais ne boire.
Aussi bien est-ce un sot ; il nous a, l'autre fois,
670 Donné deux écus d'or qui n'étaient pas de poids[2].

ARNOLPHE

Ayez donc pour souper tout ce que je désire ;
Et pour notre contrat, comme je viens de dire,
Faites venir ici, l'un ou l'autre, au retour,
Le notaire qui loge au coin de ce carfour.

Scène 2   ARNOLPHE, AGNÈS.

ARNOLPHE, *assis.*

675 Agnès, pour m'écouter, laissez là votre ouvrage :
Levez un peu la tête, et tournez le visage :
Là, regardez-moi là durant cet entretien ;
Et, jusqu'au moindre mot, imprimez-le-vous bien.
Je vous épouse, Agnès ; et, cent fois la journée,
680 Vous devez bénir l'heur[3] de votre destinée,

---

1. **Nous en faisait accroire :** nous faisait croire des choses fausses, nous mentait.
2. **N'étaient pas de poids :** n'avaient pas le poids légal.
3. **Heur :** bonheur.

Contempler la bassesse[1] où vous avez été,
Et dans le même temps admirer ma bonté,
Qui, de ce vil état de pauvre villageoise,
Vous fait monter au rang d'honorable bourgeoise,
685 Et jouir de la couche et des embrassements
D'un homme qui fuyait tous ces engagements,
Et dont à vingt partis, fort capables de plaire,
Le cœur a refusé l'honneur qu'il veut vous faire.
Vous devez toujours, dis-je, avoir devant les yeux
690 Le peu que vous étiez sans ce nœud glorieux,
Afin que cet objet[2] d'autant mieux vous instruise,
À mériter l'état où je vous aurai mise,
À toujours vous connaître, et faire qu'à jamais
Je puisse me louer de l'acte que je fais.
695 Le mariage, Agnès, n'est pas un badinage :
À d'austères devoirs le rang de femme engage ;
Et vous n'y montez pas, à ce que je prétends,
Pour être libertine[3] et prendre du bon temps.
Votre sexe n'est là que pour la dépendance :
700 Du côté de la barbe est la toute-puissance.
Bien qu'on soit deux moitiés de la société,
Ces deux moitiés pourtant n'ont point d'égalité ;
L'une est moitié suprême, et l'autre subalterne ;
L'une en tout est soumise à l'autre, qui gouverne ;
705 Et ce que le soldat, dans son devoir instruit,
Montre d'obéissance au chef qui le conduit,
Le valet à son maître, un enfant à son père,
À son supérieur[4] le moindre petit Frère[5],
N'approche point encor de la docilité,
710 Et de l'obéissance, et de l'humilité,
Et du profond respect où la femme doit être
Pour son mari, son chef, son seigneur et son maître.

---

1. **Bassesse :** pauvreté, basse condition.
2. **Objet :** objet de pensée, idée.
3. **Libertine :** désobéissante, qui n'obéit qu'à son désir.
4. **Supérieur :** religieux dirigeant un monastère.
5. **Petit Frère :** moine subalterne, affecté aux basses besognes.

Lorsqu'il jette sur elle un regard sérieux,
Son devoir aussitôt est de baisser les yeux,
715 Et de n'oser jamais le regarder en face
Que quand d'un doux regard il lui veut faire grâce.
C'est ce qu'entendent[1] mal les femmes d'aujourd'hui ;
Mais ne vous gâtez pas sur l'exemple d'autrui.
Gardez-vous d'imiter ces coquettes vilaines
720 Dont par toute la ville on chante les fredaines[2],
Et de vous laisser prendre aux assauts du malin[3],
C'est-à-dire d'ouïr aucun jeune blondin.
Songez qu'en vous faisant moitié de ma personne,
C'est mon honneur, Agnès, que je vous abandonne,
725 Que cet honneur est tendre et se blesse de peu,
Que sur un tel sujet il ne faut point de jeu ;
Et qu'il est aux enfers des chaudières bouillantes
Où l'on plonge à jamais les femmes mal vivantes[4].
Ce que je vous dis là ne sont point des chansons ;
730 Et vous devez du cœur dévorer ces leçons.
Si votre âme les suit et fuit d'être coquette,
Elle sera toujours, comme un lis, blanche et nette ;
Mais, s'il faut qu'à l'honneur elle fasse un faux bond[5],
Elle deviendra lors noire comme un charbon ;
735 Vous paraîtrez à tous un objet effroyable,
Et vous irez un jour, vrai partage du diable[6],
Bouillir dans les enfers à toute éternité,
Dont vous veuille garder la céleste bonté[7] !
Faites la révérence. Ainsi qu'une novice[8]
740 Par cœur dans le couvent doit savoir son office,

---

1. **Entendent :** comprennent.
2. **Fredaines :** frasques, écarts de conduite.
3. **Malin :** diable.
4. **Mal vivantes :** se conduisant mal.
5. **Elle fasse un faux bond :** elle manque.
6. **Partage du diable :** proie du diable.
7. **Dont vous veuille garder la céleste bonté :** puisse la céleste bonté vous préserver de cela (subjonctif de prière).
8. **Novice :** celle qui vient d'entrer dans un ordre pour y devenir religieuse.

Entrant au mariage il en faut faire autant ;
Et voici dans ma poche un écrit important,
Qui vous enseignera l'office de la femme.
J'en ignore l'auteur : mais c'est quelque bonne âme ;
745 Et je veux que ce soit votre unique entretien[1].
Tenez.
(Il se lève.)
    Voyons un peu si vous le lirez bien.

AGNÈS *lit.*

LES MAXIMES DU MARIAGE

OU

LES DEVOIRS DE LA FEMME MARIÉE,
avec son exercice journalier.

PREMIÈRE MAXIME
Celle qu'un lien honnête
Fait entrer au lit d'autrui,
Doit se mettre dans la tête,

750

Malgré le train d'aujourd'hui,
Que l'homme qui la prend ne la prend que pour lui.»

ARNOLPHE

Je vous expliquerai ce que cela veut dire ;
Mais pour l'heure présente, il ne faut rien que lire.

AGNÈS *poursuit.*

DEUXIÈME MAXIME
Elle ne se doit parer

755

Qu'autant que peut désirer
Le mari qui la possède :
C'est lui qui touche seul le soin de sa beauté ;
Et pour rien doit être compté
Que les autres la trouvent laide.

TROISIÈME MAXIME

760

Loin ces études d'œillades,
Ces eaux, ces blancs[2], ces pommades,

---

1. **Entretien :** préoccupation.
2. **Blancs :** maquillage utilisé par les femmes pour éclaircir leur teint.

Et mille ingrédients qui font des teints fleuris :
À l'honneur, tous les jours, ce sont drogues mortelles ;
Et les soins de paraître belles
765   Se prennent peu pour les maris.

QUATRIÈME MAXIME

Sous sa coiffe, en sortant, comme l'honneur l'ordonne,
Il faut que de ses yeux elle étouffe les coups ;
Car, pour bien plaire à son époux,
Elle ne doit plaire à personne.

CINQUIÈME MAXIME

770   Hors ceux dont au mari la visite se rend,
La bonne règle défend
De recevoir aucune âme :
Ceux qui de galante humeur
N'ont affaire qu'à madame
775   N'accommodent pas[1] monsieur.

SIXIÈME MAXIME

Il faut des présents des hommes
Qu'elle se défende bien ;
Car, dans le siècle où nous sommes,
On ne donne rien pour rien.

SEPTIÈME MAXIME

780   Dans ses meubles[2], dût-elle en avoir de l'ennui,
Il ne faut écritoire[3], encre, papier, ni plumes :
Le mari doit, dans les bonnes coutumes,
Écrire tout ce qui s'écrit chez lui.

HUITIÈME MAXIME

Ces sociétés déréglées,
785   Qu'on nomme belles assemblées,
Des femmes tous les jours corrompent les esprits.
En bonne politique[4] on les doit interdire ;
Car c'est là que l'on conspire

---

1. **N'accommodent pas :** ne plaisent pas à.
2. **Meubles :** objets.
3. **Écritoire :** étui contenant tout ce qui est nécessaire pour écrire.
4. **En bonne politique :** quand on dirige bien sa maison.

Contre les pauvres maris.

NEUVIÈME MAXIME

790 Toute femme qui veut à l'honneur se vouer
Doit se défendre de jouer,
Comme d'une chose funeste ;
Car le jeu, fort décevant,
Pousse une femme souvent
795 À jouer de tout son reste.

DIXIÈME MAXIME

Des promenades du temps[1],
Ou repas qu'on donne aux champs,
Il ne faut point qu'elle essaye[2] ;
Selon les prudents cerveaux,
800 Le mari, dans ces cadeaux[3],
Est toujours celui qui paye.

ONZIÈME MAXIME...

ARNOLPHE

Vous achèverez seule ; et, pas à pas[4], tantôt
Je vous expliquerai ces choses comme il faut.
Je me suis souvenu d'une petite affaire :
805 Je n'ai qu'un mot à dire et ne tarderai guère ;
Rentrez, et conservez ce livre chèrement[5] ;
Si le notaire vient, qu'il m'attende un moment.

---

1. **Du temps :** d'aujourd'hui, à la mode.
2. **Essaye :** goûte.
3. **Cadeaux :** repas, parties de campagne.
4. **Pas à pas :** mot à mot.
5. **Chèrement :** précieusement.

Clefs d'analyse

Action et personnages

1. Quel vers de la scène 1 annonce la scène 2 ?

2. Pourquoi Arnolphe est-il joyeux (v. 643) ?

3. À quelle condition sociale appartiennent respectivement Agnès et Arnolphe ?

4. Qu'est-ce qui, selon Arnolphe, est interdit à la femme mariée ?

Langue

5. En quoi Arnolphe parle-t-il comme un « directeur » (de conscience) ? Relevez dans son discours les marques de l'ordre et de l'autorité.

6. Étudiez le ton d'Arnolphe dans les vers 695 à 716, et dans les vers 723 à 738 : présence ou non de maximes, rythmes frappants, images, syntaxe, etc.

Genre ou thèmes

7. Distinguez les deux grands mouvements qui partagent cette scène.

8. Observez les mouvements qui se succèdent dans le « petit discours » d'Arnolphe (v. 675-746).

9. Relevez toutes les marques du parallélisme établi entre le mariage et la vie monastique ; quel est l'effet produit par ce parallélisme ?

10. Comment Arnolphe conçoit-il l'amour conjugal ?

11. À quoi voit-on qu'Arnolphe a retrouvé toute sa confiance en lui-même ?

Écriture

12. Vous dirigez cette scène : expliquez par écrit à chacun des acteurs la manière dont il doit se positionner et évoluer au cours de la scène.

13. Rédigez à votre tour dix maximes définissant, à votre choix, les devoirs du délégué de classe envers ses camarades / de l'aîné d'une famille envers ses frères et sœurs / d'un enfant unique envers ses parents, etc.

Pour aller plus loin

14. Molière s'est inspiré pour cette scène d'un passage de la nouvelle de Scarron intitulée *La Précaution inutile* : « Il se mit dans une chaise, fit tenir sa femme debout, et lui dit ces paroles ou d'autres encore plus impertinentes : "Vous êtes ma femme, [ce] dont j'espère que j'aurai sujet de louer Dieu, tant que nous vivrons ensemble. Mettez-vous bien dans l'esprit ce que je vais vous dire, et [obéissez-y] tant que vous vivrez, et de peur d'offenser Dieu, et de peur de me déplaire." À toutes ces paroles dorées, l'innocente Laure faisait de grandes révérences à propos ou non, et regardait son mari entre deux yeux, aussi timidement qu'un écolier nouveau fait un pédant impérieux. » Étudiez la manière dont il utilise ce passage : quels éléments conserve-t-il ? Quels éléments ajoute-t-il ?

15. Très souvent, la comédienne interprétant le rôle d'Agnès lit les maximes d'une voix hésitante et entrecoupée de sanglots de plus en plus violents : pourquoi ?

16. La plupart du temps, les Maximes ne sont pas toutes récitées sur scène. Voyez-vous pourquoi ? Le grand metteur en scène Louis Jouvet les fit pourtant réciter dans leur intégralité ; que pensez-vous de ce choix ? Quel choix auriez-vous fait si vous aviez été vous-même le metteur en scène ?

✳ À retenir

Dans cette scène s'opposent de manière spectaculaire l'innocence désarmée d'Agnès et la tyrannie égoïste et cynique d'Arnolphe. Le comique devient alors plus grave, et prend des résonances plus clairement satiriques : ce que Molière dénonce à travers le personnage d'Arnolphe, c'est la misogynie profonde d'une bourgeoisie utilisant la morale religieuse comme instrument de sa domination.

Scène 3 ARNOLPHE.

Je ne puis faire mieux que d'en faire ma femme.
Ainsi que je voudrai je tournerai[1] cette âme ;
810 Comme un morceau de cire entre mes mains elle est.
Et je lui puis donner la forme qui me plaît.
Il s'en est peu fallu que, durant mon absence,
On ne m'ait attrapé par son trop d'innocence
Mais il vaut beaucoup mieux, à dire vérité
815 Que la femme qu'on a pèche de ce côté.
De ces sortes d'erreurs le remède est facile.
Toute personne simple aux leçons est docile ;
Et, si du bon chemin on l'a fait écarter,
Deux mots incontinent[2] l'y peuvent rejeter.
820 Mais une femme habile[3] est bien une autre bête,
Notre sort ne dépend que de sa seule tête
De ce qu'elle s'y met rien ne la fait gauchir[4],
Et nos enseignements ne font là que blanchir[5] ;
Son bel esprit lui sert à railler nos maximes,
825 À se faire souvent des vertus de ses crimes[6],
Et trouver pour venir à ses coupables fins,
Des détours à duper l'adresse des plus fins.
Pour se parer du coup en vain on se fatigue ;
Une femme d'esprit est un diable en intrigue ;
830 Et, dès que son caprice a prononcé tout bas
L'arrêt[7] de notre honneur, il faut passer le pas[8] :

---

1. **Je tournerai :** je façonnerai (comme un potier avec son tour).
2. **Incontinent :** aussitôt.
3. **Habile :** intelligente.
4. **Gauchir :** dévier.
5. **Blanchir :** échouer.
6. **Crimes :** fautes graves.
7. **L'arrêt :** la condamnation.
8. **Passer le pas :** sauter le pas, expression figurée qui signifie ici « être trompé ».

Beaucoup d'honnêtes gens en pourraient bien que dire[1]
Enfin mon étourdi n'aura pas lieu d'en rire ;
Par son trop de caquet il a ce qu'il lui faut.
835 Voilà de nos Français l'ordinaire défaut :
Dans la possession d'une bonne fortune,
Le secret est toujours ce qui les importune,
Et la vanité sotte a pour eux tant d'appas,
Qu'ils se perdraient plutôt que de ne causer pas.
840 Oh ! que les femmes sont du diable[2] bien tentées,
Lorsqu'elles vont choisir ces têtes éventées[3] !
Et que... Mais le voici... Cachons-nous toujours bien
Et découvrons un peu quel chagrin est le sien.

Scène 4   HORACE, ARNOLPHE.

HORACE

Je reviens de chez vous, et le destin me montre
845 Qu'il n'a pas résolu que je vous y rencontre,
Mais j'irai tant de fois, qu'enfin quelque moment...

ARNOLPHE

Eh, mon Dieu ! n'entrons point dans ce vain compliment :
Rien ne me fâche tant que ces cérémonies ;
Et, si l'on m'en croyait, elles seraient bannies.
850 C'est un maudit usage et la plupart des gens
Y perdent sottement les deux tiers de leur temps.
Mettons donc[4] sans façons.
(Il se couvre.)

---

1. **En pourraient bien que dire :** auraient bien des choses à dire sur ce sujet.
2. **Du diable :** par le diable.
3. **Éventées :** écervelées.
4. **Mettons donc :** sous-entendu, notre chapeau ; formule de politesse.

Eh bien ! vos amourettes ?

Puis-je, seigneur Horace, apprendre où vous en êtes ?
J'étais tantôt distrait par quelque vision[1] ;
855 Mais depuis là-dessus j'ai fait réflexion.
De vos premiers progrès j'admire la vitesse,
Et dans l'événement mon âme s'intéresse.

HORACE

Ma foi, depuis qu'à vous s'est découvert mon cœur,
Il est à mon amour arrivé du malheur.

ARNOLPHE

860 Oh ! oh ! comment cela ?

HORACE

La fortune cruelle

A ramené des champs le patron de la belle.

ARNOLPHE

Quel malheur !

HORACE

Et de plus, à mon très grand regret,

Il a su de nous deux le commerce[2] secret.

ARNOLPHE

D'où diantre a-t-il sitôt appris cette aventure ?

HORACE

865 Je ne sais ! mais enfin c'est une chose sûre.
Je pensais aller rendre, à mon heure à peu près,
Ma petite visite à ses jeunes attraits,
Lorsque, changeant pour moi de ton et de visage,
Et servante et valet m'ont bouché le passage,
870 Et d'un « Retirez-vous ; vous nous importunez »,
M'ont assez rudement fermé la porte au nez.

ARNOLPHE

La porte au nez !

---

1. **Vision :** rêverie.
2. **Commerce :** relation.

HORACE

Au nez.

ARNOLPHE

La chose est un peu forte.

HORACE

J'ai voulu leur parler au travers de la porte ;
Mais à tous mes propos ce qu'ils ont répondu,
875 C'est : « Vous n'entrerez point ; monsieur l'a défendu. »

ARNOLPHE

Ils n'ont donc point ouvert ?

HORACE

Non. Et de la fenêtre
Agnès m'a confirmé le retour de ce maître.
En me chassant de là d'un ton plein de fierté,
Accompagné d'un grès que sa main a jeté.

ARNOLPHE

880 Comment ! d'un grès ?

HORACE

D'un grès de taille non petite,
Dont on a par ses mains régalé[1] ma visite.

ARNOLPHE

Diantre ! ce ne sont pas des prunes que cela !
Et je trouve fâcheux l'état où vous voilà.

HORACE

Il est vrai, je suis mal par ce retour funeste.

ARNOLPHE

885 Certes, j'en suis fâché pour vous, je vous proteste[2].

HORACE

Cet homme me rompt tout.

ARNOLPHE

Oui ; mais cela n'est rien,
Et de vous raccrocher vous trouverez moyen.

---

1. **Régalé :** fêté.
2. **Je vous proteste :** je vous assure.

81

HORACE

Il faut bien essayer, par quelque intelligence,
De vaincre du jaloux l'exacte vigilance.

ARNOLPHE

890 Cela vous est facile ; et la fille, après tout,
Vous aime ?

HORACE

Assurément.

ARNOLPHE

Vous en viendrez à bout.

HORACE

Je l'espère.

ARNOLPHE

Le grès vous a mis en déroute ;
Mais cela ne doit pas vous étonner.

HORACE

Sans doute ;
Et j'ai compris d'abord que mon homme était là,
895 Qui, sans se faire voir, conduisait tout cela.
Mais ce qui m'a surpris, et qui va vous surprendre,
C'est un autre incident que vous allez entendre ;
Un trait hardi qu'a fait cette jeune beauté,
Et qu'on n'attendrait point de sa simplicité.
900 Il le faut avouer, l'Amour est un grand maître ;
Ce qu'on ne fut jamais, il nous enseigne à l'être,
Et souvent de nos mœurs l'absolu changement
Devient par ses leçons l'ouvrage d'un moment.
De la nature en nous il force les obstacles,
905 Et ses effets soudains ont de l'air des miracles.
D'un avare à l'instant il fait un libéral,
Un vaillant d'un poltron, un civil d'un brutal ;
Il rend agile à tout l'âme la plus pesante
Et donne de l'esprit à la plus innocente.
910 Oui, ce dernier miracle éclate dans Agnès

Car, tranchant avec moi par ces termes exprès[1] :
« Retirez-vous, mon âme aux visites renonce
Je sais tous vos discours, et voilà ma réponse. »
Cette pierre ou ce grès dont vous vous étonnez
915 Avec un mot de lettre est tombée à mes pieds ;
Et j'admire de voir cette lettre ajustée
Avec le sens des mots et la pierre jetée.
D'une telle action n'êtes-vous pas surpris ?
L'Amour sait-il pas l'art d'aiguiser les esprits ?
920 Et peut-on me nier que ses flammes puissantes
Ne fassent dans un cœur des choses étonnantes ?
Que dites-vous du tour et de ce mot d'écrit ?
Euh[2] ! n'admirez-vous point cette adresse d'esprit ?
Trouvez-vous pas plaisant de voir quel personnage
925 A joué mon jaloux dans tout ce badinage ?
Dites.

ARNOLPHE

Oui, fort plaisant.

HORACE

Riez-en donc un peu.
(Arnolphe rit d'un ris forcé.)
Cet homme, gendarmé[3] d'abord contre mon feu
Qui chez lui se retranche, et de grès fait parade[4],
Comme si j'y voulais entrer par escalade ;
930 Qui, pour me repousser, dans son bizarre[5] effroi,
Anime du dedans tous ses gens contre moi,
Et qu'abuse à ses yeux, par sa machine même[6],
Celle qu'il veut tenir dans l'ignorance extrême !
Pour moi, je vous l'avoue, encor que son retour
935 En un grand embarras jette ici mon amour,

---

1. **Par ces termes exprès :** par ces paroles bien choisies.
2. **Euh ! :** hé !
3. **Gendarmé :** furieux et prêt à se défendre.
4. **De grès fait parade :** se protège à coups de pierre.
5. **Bizarre :** extravagant.
6. **Par sa machine même :** par sa propre machination.

Je tiens cela plaisant autant qu'on saurait dire :
Je ne puis y songer sans de bon cœur en rire ;
Et vous n'en riez pas assez, à mon avis.

ARNOLPHE, *avec un ris forcé.*

Pardonnez-moi, j'en ris tout autant que je puis.

HORACE

940 Mais il faut qu'en ami je vous montre sa lettre.
Tout ce que son cœur sent, sa main a su l'y mettre,
Mais en termes touchants et tout pleins de bonté,
De tendresse innocente et d'ingénuité,
De la manière enfin que la pure nature
945 Exprime de l'amour la première blessure.

ARNOLPHE, *bas, à part.*

Voilà, friponne, à quoi l'écriture te sert ;
Et, contre mon dessein, l'art t'en fut découvert.

HORACE, *lit.*

« Je veux vous écrire, et je suis bien plus en peine par où[1] je m'y prendrai. J'ai des pensées que je désirerais que vous sussiez ; mais je ne sais comment faire pour vous les dire, et je me défie de mes paroles. Comme je commence à connaître qu'on m'a toujours tenue dans l'ignorance, j'ai peur de mettre quelque chose qui ne soit pas bien, et d'en dire plus que je ne devrais. En vérité, je sais ce que vous m'avez fait, mais je sens que je suis fâchée à mourir de ce qu'on me fait faire contre vous, et j'aurai toutes les peines du monde à me passer de vous. Peut-être qu'il y a du mal à dire cela ; mais enfin je ne puis m'empêcher de le dire, et je voudrais que cela se pût faire sans qu'il y en eût. On me dit fort que tous les jeunes hommes sont des trompeurs, qu'il ne les faut point écouter, et que tout ce que vous me dites n'est que pour m'abuser ; mais je vous assure que je n'ai pu encore me figurer cela de vous, et je suis si touchée de vos paroles, que je ne saurais croire qu'elles soient menteuses. Dites-moi franchement ce qu'il en est : car enfin,

---

1. **Par où** : de savoir par où.

comme je suis sans malice[1], vous auriez le plus grand tort du monde si vous me trompiez ; et je sens que j'en mourrais de déplaisir[2]. »

ARNOLPHE, *à part.*

Ho ! chienne !

HORACE

Qu'avez-vous ?

ARNOLPHE

Moi ? rien. C'est que je tousse.

HORACE

Avez-vous jamais vu d'expression plus douce ?
950 Malgré les soins maudits d'un injuste pouvoir,
Un plus beau naturel se peut-il faire voir ?
Et n'est-ce pas sans doute un crime punissable,
De gâter méchamment ce fond d'âme admirable ;
D'avoir dans l'ignorance et la stupidité
955 Voulu de cet esprit étouffer la clarté ?
L'amour a commencé d'en déchirer le voile ;
Et si, par la faveur de quelque bonne étoile,
Je puis, comme j'espère, à ce franc animal[3],
Ce traître, ce bourreau, ce faquin[4], ce brutal...

ARNOLPHE

960 Adieu.

HORACE

Comment ! si vite !

ARNOLPHE

Il m'est dans la pensée
Venu tout maintenant une affaire pressée.

HORACE

Mais ne sauriez-vous point, comme on la tient de près
Qui dans cette maison pourrait avoir accès ?

---

1. **Sans malice :** simple, sans détour ni intention de nuire.
2. **Déplaisir :** désespoir.
3. **Ce franc animal :** cette véritable brute.
4. **Faquin :** canaille.

J'en use sans scrupule, et ce n'est pas merveille[1]
965 Qu'on se puisse, entre amis, servir à la pareille[2].
Je n'ai plus là dedans que gens pour m'observer ;
Et servante et valet, que je viens de trouver,
N'ont jamais, de quelque air que je m'y sois pu prendre,
Adouci leur rudesse à[3] me vouloir entendre.
970 J'avais pour de tels coups certaine vieille en main,
D'un génie[4], à vrai dire, au-dessus de l'humain :
Elle m'a dans l'abord[5] servi de bonne sorte
Mais, depuis quatre jours, la pauvre femme est morte.
Ne me pourriezvous point ouvrir quelque moyen ?

ARNOLPHE

975 Non vraiment ; et sans moi vous en trouverez bien.

HORACE

Adieu donc. Vous voyez ce que je vous confie.

Scène 5   ARNOLPHE.

Comme il faut devant lui que je me mortifie[6] !
Quelle peine à cacher mon déplaisir cuisant !
Quoi ! pour une innocente un esprit si présent[7] !
980 Elle a feint d'être telle à mes yeux, la traîtresse,
Ou le diable à son âme a soufflé cette adresse.
Enfin, me voilà mort par ce funeste écrit.

---

1. **Ce n'est pas merveille :** il n'est pas surprenant.
2. **Servir à la pareille :** se rendre des services à charge de revanche.
3. **À :** jusqu'à.
4. **Génie :** talent.
5. **Dans l'abord :** d'abord, au début.
6. **Que je me mortifie :** que je m'humilie.
7. **Un esprit si présent :** tant de présence d'esprit.

Je vois qu'il a, le traître, empaumé son esprit[1],
Qu'à ma suppression il s'est ancré chez elle[2] ;
985 Et c'est mon désespoir et ma peine mortelle.
Je souffre doublement dans le vol de son cœur ;
Et l'amour y pâtit aussi bien que l'honneur.
J'enrage de trouver cette place usurpée[3],
Et j'enrage de voir ma prudence trompée.
990 Je sais que, pour punir son amour libertin,
Je n'ai qu'à laisser faire à son mauvais destin,
Que je serai vengé d'elle par elle-même :
Mais il est bien fâcheux de perdre ce qu'on aime.
Ciel ! puisque pour un choix j'ai tant philosophé,
995 Faut-il de ses appas m'être si fort coiffé[4] ?
Elle n'a ni parents, ni support[5], ni richesse ;
Elle trahit mes soins, mes bontés, ma tendresse :
Et cependant je l'aime, après ce lâche tour,
Jusqu'à ne me pouvoir passer de cette amour
1000 Sot, n'as-tu point de honte ? Ah ! je crève, j'enrage.
Et je souffletterais mille fois mon visage !
Je veux entrer un peu, mais seulement pour voir
Quelle est sa contenance après un trait si noir
Ciel ! faites que mon front soit exempt de disgrâce[6] ;
1005 Ou bien, s'il est écrit qu'il faille que j'y passe[7],
Donnez-moi tout au moins, pour de tels accidents,
La constance[8] qu'on voit à de certaines gens !

---

1. **Il a [...] empaumé son esprit :** il s'est rendu maître de son esprit (familier ; *empaumer une balle* signifiait *bien la saisir*).
2. **Il s'est ancré chez elle :** il s'est fermement établi chez elle (comme un navire qui a jeté l'ancre).
3. **Usurpée :** prise de manière illégitime.
4. **Si fort coiffé :** tellement entiché.
5. **Support :** soutien.
6. **Mon front soit exempt de disgrâce :** allusion aux cornes qui coiffaient symboliquement la tête des maris trompés.
7. **Que j'y passe :** que je sois trompé.
8. **Constance :** fermeté, impassibilité (ironique ici).

ACTE IV

Scène 1 ARNOLPHE.

J'ai peine, je l'avoue, à demeurer en place,
Et de mille soucis mon esprit s'embarrasse,
1010 Pour pouvoir mettre un ordre et dedans et dehors,
Qui du godelureau[1] rompe tous les efforts.
De quel œil la traîtresse a soutenu ma vue !
De tout ce qu'elle a fait elle n'est point émue ;
Et, bien qu'elle me mette à deux doigts du trépas,
1015 On dirait, à la voir, qu'elle n'y touche pas[2].
Plus, en la regardant, je la voyais tranquille,
Plus je sentais en moi s'échauffer une bile[3] ;
Et ces bouillants transports dont s'enflammait mon cœur
Y semblaient redouter mon amoureuse ardeur.
1020 J'étais aigri, fâché, désespéré contre elle ;
Et cependant jamais je ne la vis si belle,
Jamais ses yeux aux miens n'ont paru si perçants[4],
Jamais je n'eus pour eux des désirs si pressants ;
Et je sens là dedans[5] qu'il faudra que je crève
1025 Si de mon triste sort la disgrâce s'achève.
Quoi ! j'aurai dirigé son éducation
Avec tant de tendresse et de précaution ;
Je l'aurai fait passer chez moi[6] dès son enfance,
Et j'en aurai chéri la plus tendre espérance ;
1030 Mon cœur aura bâti[7] sur ses attraits naissants,

---

1. **Godelureau :** jeune homme qui courtise les dames (terme familier et péjoratif).
2. **Qu'elle n'y touche pas :** qu'elle est une sainte-nitouche.
3. **Bile :** colère.
4. **Perçants :** qui percent le cœur.
5. **Là-dedans :** Arnolphe désigne son cœur.
6. **Passer chez moi :** entrer chez moi.
7. **Aura bâti :** aura fait des projets.

Et cru la mitonner1 pour moi durant treize ans,
Afin qu'un jeune fou dont elle s'amourache
Me la vienne enlever jusque sur la moustache[2],
Lorsqu'elle est avec moi mariée à demi !
1035 Non, parbleu ! non, parbleu ! Petit sot, mon ami,
Vous aurez beau tourner, ou j'y perdrai mes peines,
Ou je rendrai, ma foi, vos espérances vaines,
Et de moi tout à fait vous ne vous rirez point.

Scène 2 LE NOTAIRE, ARNOLPHE.

LE NOTAIRE
Ah ! le voilà ! Bonjour. Me voici tout à point[3]
1040 Pour dresser le contrat que vous souhaitez faire.

ARNOLPHE, *sans le voir.*
Comment faire ?

LE NOTAIRE
Il le faut dans la forme ordinaire.

ARNOLPHE, *sans le voir.*
À mes précautions je veux songer de près.

LE NOTAIRE
Je ne passerai rien[4] contre vos intérêts.

ARNOLPHE, *sans le voir.*
Il se faut garantir de toutes les surprises.

---

1. **Mitonner :** au sens propre, faire cuire un plat longtemps à feu doux. Le sens ici est évidemment figuré.
2. **Sur la moustache :** à rapprocher de l'expression « au nez et à la barbe ».
3. **Tout à point :** juste au bon moment, à point nommé.
4. **Je ne passerai rien :** je ne ferai rien figurer dans l'acte notarié.

LE NOTAIRE

1045 Suffit qu'entre mes mains vos affaires soient mises.
Il ne vous faudra point, de peur d'être déçu,
Quittancer[1] le contrat que vous n'ayez reçu[2].

ARNOLPHE, *sans le voir.*

J'ai peur, si je vais faire éclater quelque chose,
Que de cet incident par la ville on ne cause.

LE NOTAIRE

1050 Eh bien, il est aisé d'empêcher cet éclat,
Et l'on peut en secret faire votre contrat.

ARNOLPHE, *sans le voir.*

Mais comment faudra-t-il qu'avec elle j'en sorte ?

LE NOTAIRE

Le douaire[3] se règle au bien qu'on vous apporte.

ARNOLPHE, *sans le voir.*

Je l'aime, et cet amour est mon grand embarras.

LE NOTAIRE

1055 On peut avantager une femme en ce cas.

ARNOLPHE, *sans le voir.*

Quel traitement lui faire en pareille aventure ?

LE NOTAIRE

L'ordre[4] est que le futur doit douer[5] la future
Du tiers du dot qu'elle a ; mais cet ordre n'est rien,
Et l'on va plus avant lorsque l'on le veut bien.

ARNOLPHE, *sans le voir.*

1060 Si...

---

1. **Quittancer :** fournir une quittance.
2. **Que vous n'ayez reçu :** avant d'avoir reçu (sous-entendu : la dot).
3. **Douaire :** portion de bien donnée à une femme par son mari à l'occasion du mariage.
4. **L'ordre :** la règle.
5. **Douer :** doter.

LE NOTAIRE, *Arnolphe l'apercevant.*
Pour le préciput[1], il les regarde ensemble.
Je dis que le futur peut, comme bon lui semble,
Douer la future.

ARNOLPHE, *l'ayant aperçu.*
Hé ?

LE NOTAIRE
Il peut l'avantager
Lorsqu'il l'aime beaucoup et qu'il veut l'obliger[2] ;
Et cela par douaire, ou préfix[3] qu'on appelle,
1065 Qui demeure perdu par le trépas d'icelle[4] ;
Ou sans retour, qui va de ladite à ses hoirs ;
Ou coutumier, selon les différents vouloirs ;
Ou par donation dans le contrat formelle,
Qu'on fait ou pure et simple[5], ou qu'on fait mutuelle[6].
1070 Pourquoi hausser le dos[7] ? Est-ce qu'on parle en fat,
Et que l'on ne sait pas les formes d'un contrat ?
Qui me les apprendra ? personne, je présume.
Sais-je pas qu'étant joints[8] on est par la coutume
Communs en meubles, biens, immeubles et conquêts[9],
1075 À moins que par un acte on n'y renonce exprès[10] ?

---

1. **Préciput :** avantage prévu, lors du contrat de mariage, en faveur du conjoint survivant.
2. **L'obliger :** lui être agréable.
3. **Préfix :** douaire constitué par une somme fixée par le contrat de mariage. Le notaire énumère ensuite les différents douaires possibles : si l'épouse décède, ou bien le douaire est « préfix » et « perdu » (pour les héritiers de la femme) et revient au mari, ou bien il est « préfix » et « sans retour » (au mari) et revient au contraire aux héritiers ; ou encore il n'est pas « préfix » mais « coutumier », c'est-à-dire fixé, non par le contrat, mais par le droit coutumier.
4. **Icelle :** celle-ci (au XVIIe siècle, vocabulaire vieilli et juridique).
5. **Pure et simple :** en faveur d'un seul conjoint.
6. **Mutuelle :** en faveur du survivant.
7. **Hausser le dos :** hausser les épaules.
8. **Joints :** mariés.
9. **Conquets :** acquêts, bien acquis par le couple après le mariage.
10. **Exprès :** expressément, explicitement.

Sais-je pas que le tiers du bien de la future
Entre en communauté pour...

ARNOLPHE

Oui, c'est chose sûre,
Vous savez tout cela ; mais qui vous en dit mot ?

LE NOTAIRE

Vous, qui me prétendez faire passer pour sot,
1080 En me haussant l'épaule et faisant la grimace.

ARNOLPHE

La peste soit fait l'homme1, et sa chienne de face !
Adieu. C'est le moyen de vous faire finir.

LE NOTAIRE

Pour dresser un contrat m'a-t-on pas fait venir ?

ARNOLPHE

Oui, je vous ai mandé[2] ; mais la chose est remise,
1085 Et l'on vous mandera quand l'heure sera prise.
Voyez quel diable d'homme avec son entretien !

LE NOTAIRE, *seul.*

Je pense qu'il en tient[3] ; et je crois penser bien.

Scène 3 LE NOTAIRE, ALAIN, GEORGETTE.

LE NOTAIRE, *allant au-devant d'Alain et de Georgette.*
M'êtes-vous pas venu quérir pour votre maître ;

ALAIN

Oui.

---

1. **La peste soit fait l'homme !** : la peste soit de l'homme, maudit soit cet homme !
2. **Mandé :** fait venir.
3. **Il en tient :** il est fou (familier).

LE NOTAIRE

J'ignore pour qui vous le pouvez connaître,
1090 Mais allez de ma part lui dire de ce pas
Que c'est un fou fieffé[1].

GEORGETTE

Nous n'y manquerons pas.

Scène 4 ALAIN, GEORGETTE, ARNOLPHE.

ALAIN

Monsieur...

ARNOLPHE

Approchez-vous : vous êtes mes fidèles,
Mes bons, mes vrais amis, et j'en sais des nouvelles[2].

ALAIN

Le notaire...

ARNOLPHE

Laissons, c'est pour quelque autre jour.
1095 On veut à mon honneur jouer d'un mauvais tour ;
Et quel affront pour vous, mes enfants, pourrait-ce être,
Si l'on avait ôté l'honneur à votre maître !
Vous n'oseriez après paraître en nul endroit,
Et chacun, vous voyant, vous montrerait au doigt.
1100 Donc, puisque autant que moi l'affaire vous regarde,
Il faut de votre part faire une telle garde,
Que ce galant ne puisse en aucune façon...

---

1. **Fou fieffé** : complètement fou.
2 **Et j'en sais des nouvelles** : et j'en sais quelque chose.

GEORGETTE

Vous nous avez tantôt montré notre leçon.

ARNOLPHE

Mais à ses beaux discours gardez bien de vous rendre.

ALAIN

1105 Oh ! vraiment…

GEORGETTE

    Nous savons comme il faut s'en défendre.

ARNOLPHE, *à Alain.*

S'il venait doucement : « Alain, mon pauvre cœur,
Par un peu de secours soulage ma langueur. »

ALAIN

« Vous êtes un sot. »

ARNOLPHE, *à Georgette.*

   Bon ! « Georgette, ma mignonne,
Tu me parais si douce et si bonne personne. »

GEORGETTE

1110 « Vous êtes un nigaud. »

ARNOLPHE, *à Alain.*

    Bon ! « Quel mal trouves-tu
Dans un dessein honnête et tout plein de vertu ? »

ALAIN

« Vous êtes un fripon. »

ARNOLPHE, *à Georgette.*

    Fort bien. « Ma mort est sûre,
Si tu ne prends pitié des peines que j'endure. »

GEORGETTE

« Vous êtes un benêt, un impudent. »

ARNOLPHE

        Fort bien.

1115 « Je ne suis pas un homme à vouloir rien pour rien ;
Je sais, quand on me sert, en garder la mémoire ;
Cependant, par avance, Alain, voilà pour boire ;

Et voilà pour t'avoir, Georgette, un cotillon[1] :
(Ils tendent tous deux la main, et prennent l'argent.)
Ce n'est de mes bienfaits qu'un simple échantillon.
1120 Toute la courtoisie enfin dont je vous presse[2],
C'est que je puisse voir votre belle maîtresse. »

GEORGETTE, *le poussant.*

« À d'autres ! »

ARNOLPHE

Bon, cela !

ALAIN, *le poussant.*
« Hors d'ici. »

ARNOLPHE

Bon !

GEORGETTE, *le poussant.*

« Mais tôt ![3] »

ARNOLPHE

Bon ! Holà ! c'est assez.

GEORGETTE

Fais-je pas comme il faut ?

ALAIN

Est-ce de la façon que vous voulez l'entendre ?

ARNOLPHE

1125 Oui, fort bien, hors l'argent, qu'il ne fallait pas prendre.

GEORGETTE

Nous ne nous sommes pas souvenus de ce point.

ALAIN

Voulez-vous qu'à l'instant nous recommencions ?

ARNOLPHE

Point.

Suffit. Rentrez tous deux.

---

1. **Cotillon :** jupon des paysannes.
2. **Toute la courtoisie dont je vous presse :** tout le service que je vous demande.
3. **Tôt ! :** vite !

ALAIN
Vous n'avez rien qu'à dire.

ARNOLPHE
Non, vous dis-je ; rentrez, puisque je le désire.
1130   Je vous laisse l'argent. Allez : je vous rejoins.
Ayez bien l'œil à tout, et secondez mes soins.

Scène 5 ARNOLPHE.

Je veux, pour espion qui soit d'exacte vue[1],
Prendre le savetier du coin de notre rue.
Dans la maison toujours je prétends la tenir,
1135   Y faire bonne garde, et surtout en bannir
Vendeuses de ruban, perruquières, coiffeuses,
Faiseuses de mouchoirs, gantières ; revendeuses,
Tous ces gens qui sous main travaillent chaque jour
À faire réussir les mystères d'amour.
1140   Enfin j'ai vu le monde et j'en sais les finesses.
Il faudra que mon homme ait de grandes adresses
Si message ou poulet[2] de sa part peut entrer.

Scène 6 HORACE, ARNOLPHE.

HORACE
La place m'est heureuse à vous y rencontrer[3].
Je viens de l'échapper bien belle, je vous jure.

---

1. **D'exacte vue :** vigilant.
2. **Poulet :** billet doux.
3. **La place m'est heureuse à vous y rencontrer :** quelle chance de vous rencontrer ici.

1145 Au sortir d'avec vous, sans prévoir l'aventure,
Seule dans son balcon j'ai vu paraître Agnès,
Qui des arbres prochains[1] prenait un peu le frais.
Après m'avoir fait signe, elle a su faire en sorte,
Descendant au jardin, de m'en ouvrir la porte.
1150 Mais à peine tous deux dans sa chambre étions-nous,
Qu'elle a sur les degrés[2] entendu son jaloux ;
Et tout ce qu'elle a pu dans un tel accessoire[3],
C'est de me renfermer dans une grande armoire.
Il est entré d'abord : je ne le voyais pas,
1155 Mais je l'oyais[4] marcher, sans rien dire, à grands pas,
Poussant de temps en temps des soupirs pitoyables,
Et donnant quelquefois de grands coups sur les tables,
Frappant un petit chien qui pour lui s'émouvait[5],
Et jetant brusquement les hardes[6] qu'il trouvait ;
1160 Il a même cassé, d'une main mutinée[7],
Des vases dont la belle ornait sa cheminée ;
Et sans doute il faut bien qu'à ce becque cornu[8]
Du trait[9] qu'elle a joué quelque jour[10] soit venu.
Enfin, après vingt tours, ayant de la manière
1165 Sur ce qui n'en peut mais[11] déchargé sa colère,
Mon jaloux inquiet[12], sans dire son ennui,
Est sorti de la chambre, et moi de mon étui[13].
Nous n'avons point voulu, de peur du personnage,
Risquer à nous tenir ensemble davantage :

---

1. **Prochains :** proches.
2. **Les degrés :** les marches.
3. **Dans un tel accessoire :** dans une circonstance aussi fâcheuse.
4. **Oyais :** entendais (imparfait du verbe « ouïr »).
5. **S'émouvait :** s'agitait.
6. **Les hardes :** les vêtements (le terme n'a pas de valeur péjorative au XVIIe siècle).
7. **Mutinée :** furieuse.
8. **Becque cornu :** bouc cornu, c'est-à-dire homme sot et cocu.
9. **Trait :** tour.
10. **Quelque jour :** quelque éclaircissement.
11. **Sur ce qui n'en peut mais :** sur ce qui n'en est pas la cause.
12. **Inquiet :** agité.
13. **Étui :** cachette.

1170 C'était trop hasarder ; mais je dois, cette nuit,
Dans sa chambre un peu tard m'introduire sans bruit.
En toussant par trois fois je me ferai connaître ;
Et je dois au signal voir ouvrir la fenêtre,
Dont, avec une échelle, et secondé d'Agnès,
1175 Mon amour tâchera de me gagner l'accès.
Comme à mon seul ami, je veux bien vous l'apprendre :
L'allégresse du cœur s'augmente à la répandre ;
Et, goûtât-on cent fois un bonheur tout parfait,
On n'en est pas content, si quelqu'un ne le sait.
1180 Vous prendrez part, je pense, à l'heur[1] de mes affaires.
Adieu. Je vais songer aux choses nécessaires[2].

Scène 7 ARNOLPHE.

Quoi ? l'astre qui s'obstine à me désespérer
Ne me donnera pas le temps de respirer ?
Coup sur coup je verrai, par leur intelligence[3],
1185 De mes soins vigilants confondre la prudence ?
Et je serai la dupe, en ma maturité,
D'une jeune innocente et d'un jeune éventé ?
En sage philosophe on m'a vu, vingt années,
Contempler des maris les tristes destinées,
1190 Et m'instruire avec soin de tous les accidents
Qui font dans le malheur tomber les plus prudents ;
Des disgrâces[4] d'autrui profitant dans mon âme,
J'ai cherché les moyens, voulant prendre une femme,

---

1. **Heur** : bonheur, bon déroulement.
2. **Nécessaires** : sous-entendu « à l'escalade ».
3. **Intelligence** : entente, complicité.
4. **Disgrâces** : malheurs, ici infortunes conjugales.

De pouvoir garantir mon front de tous affronts,
1195 Et le tirer de pair d'avec[1] les autres fronts.
Pour ce noble dessein, j'ai cru mettre en pratique
Tout ce que peut trouver l'humaine politique[2] ;
Et comme si du sort il était arrêté[3]
Que nul homme ici-bas n'en[4] serait exempté,
1200 Après l'expérience et toutes les lumières
Que j'ai pu m'acquérir sur de telles matières,
Après vingt ans et plus de méditation
Pour me conduire en tout avec précaution,
De tant d'autres maris j'aurais quitté la trace
1205 Pour me trouver après dans la même disgrâce ?
Ah ! bourreau de destin, vous en aurez menti.
De l'objet qu'on poursuit je suis encor nanti[5] ;
Si son cœur m'est volé par ce blondin funeste,
J'empêcherai du moins qu'on s'empare du reste,
1210 Et cette nuit, qu'on prend pour le galant exploit,
Ne se passera pas si doucement qu'on croit.
Ce m'est quelque plaisir, parmi tant de tristesse,
Que l'on me donne avis du piège qu'on me dresse,
Et que cet étourdi, qui veut m'être fatal,
1215 Fasse son confident de son propre rival.

---

1. **Le tirer de pair d'avec :** se distinguer de, échapper au sort de.
2. **Politique :** sagesse.
3. **Comme si du sort il était arrêté :** comme si c'était un arrêt (une décision) du sort, du destin.
4. **En :** des affronts.
5. **Nanti :** propriétaire.

Clefs d'analyse
Acte IV, scènes 4 à 7

Action et personnages

1. Que voudrait dire Alain à Arnolphe au début de la scène 4 ?

2. Que sous-entend la réplique de Georgette au vers 1103 ? En quoi cette réplique influence-t-elle la manière dont le spectateur comprend la scène 4 ?

3. À quand Arnolphe reporte-t-il la signature du contrat de mariage dans la scène 4 ?

4. En quoi consiste la « leçon » évoquée v. 1103 ?

5. Que révèlent à Arnolphe les nouvelles confidences d'Horace dans la scène 6 ?

6. Qu'apprend-on de la bouche d'Horace sur le comportement d'Arnolphe chez lui dans la scène 6 ? Quel aspect de son caractère se confirme ici ?

7. Comment s'enchaînent les scènes 6 et 7 ?

Langue

8. Dans la scène 7, observez les temps verbaux utilisés et utilisez ce repérage pour dégager les mouvements composant ce monologue.

9. Dans les vers 1207 à 1213, quelles sont les différentes valeurs du pronom *on* ?

10. Dans la scène 7, repérez les vers élevant l'action à des dimensions héroïques ou relevant du style tragique, et ceux qui ramènent l'action dans le registre familier et comique. Quel est l'effet produit par ce mélange ?

Genre ou thèmes

11. Pourquoi la scène 4 est-elle comique ?

12. Pourquoi la scène 6 est-elle importante pour l'action ?

13. Comment Horace justifie-t-il le compte rendu très détaillé qu'il donne à Arnolphe dans la scène 6 ? Que pensez-vous de cette justification ?

Clefs d'analyse

Écriture

14. Une fois Arnolphe parti, Alain et Georgette, restés seuls, s'entraînent ensemble à réaliser le plan prévu et se répètent le rôle qu'ils doivent jouer lorsque viendra l'importun. En vous inspirant de la scène 4, rédigez leur dialogue.

15. Devenue vieille, Agnès se souvient de l'entrevue que raconte Horace à la scène 6 et la raconte dans ses mémoires. En tenant compte de toutes les indications fournies par Horace, rédigez son récit.

Pour aller plus loin

16. Un critique décrit en ces termes la mise en scène de la scène 6 par Antoine Vitez en 1978 : « Tantôt [Horace] danse, tantôt il tourne sur place de plaisir, tantôt il aboie » (M. Corvin, *Molière et ses metteurs en scène d'aujourd'hui*). Êtes-vous d'accord avec cette interprétation ? Expliquez pourquoi.

17. Le monologue d'Arnolphe qui compose la scène 7 comporte de nombreuses résonances tragiques, notamment les allusions au destin et à la fatalité. Quel rôle exact ces termes jouent-ils dans l'univers tragique ? Aidez-vous pour le définir de tragédies classiques que vous connaissez.

✳ À retenir

Prisonnier de lui-même, de ses obsessions et de ses manies, Arnolphe est un personnage comique qui se prend pour un héros tragique. Sa folie devient de plus en plus manifeste, et Agnès elle-même passe à l'action ; Arnolphe, lui, prend du retard dans ses projets matrimoniaux : le rythme s'accélère et le dénouement s'annonce.

Scène 8 CHRYSALDE, ARNOLPHE.

CHRYSALDE

Hé bien, souperons-nous avant la promenade ?

ARNOLPHE

Non, je jeûne ce soir.

CHRYSALDE

D'où vient cette boutade ?

ARNOLPHE

De grâce, excusez-moi : j'ai quelque autre embarras.

CHRYSALDE

Votre hymen résolu[1] ne se fera-t-il pas ?

ARNOLPHE

1220 C'est trop s'inquiéter des affaires des autres.

CHRYSALDE

Oh ! oh ! si brusquement ! Quels chagrins sont les vôtres ?
Serait-il point, compère, à votre passion
Arrivé quelque peu de tribulation ?
Je le jurerais presque à voir votre visage

ARNOLPHE

1225 Quoi qu'il m'arrive, au moins aurai-je l'avantage
De ne pas ressembler à de certaines gens
Qui souffrent doucement l'approche des galants.

CHRYSALDE

C'est un étrange fait, qu'avec tant de lumières,
Vous vous effarouchiez[2] toujours sur ces matières,
1230 Qu'en cela vous mettiez le souverain bonheur,
Et ne conceviez point au monde d'autre honneur.
Être avare, brutal, fourbe, méchant et lâche,
N'est rien, à votre avis, auprès de cette tache ;

---

1. **Votre hymen résolu :** le mariage que vous aviez décidé.
2. **Vous vous effarouchiez :** vous vous scandalisiez.

Et, de quelque façon qu'on puisse avoir vécu,
On est homme d'honneur quand on n'est point cocu.
À le bien prendre au fond, pourquoi voulez-vous croire
Que de ce cas fortuit dépende notre gloire,
Et qu'une âme bien née ait à se reprocher
L'injustice d'un mal qu'on ne peut empêcher ?
Pourquoi voulez-vous, dis-je, en prenant une femme,
Qu'on soit digne, à son choix, de louange ou de blâme,
Et qu'on s'aille former un monstre plein d'effroi
De l'affront que nous fait son manquement de foi[1] ?
Mettez-vous dans l'esprit qu'on peut du cocuage
Se faire en galant homme une plus douce image,
Que des coups du hasard aucun n'étant garant[2],
Cet accident de soi[3] doit être indifférent,
Et qu'enfin tout le mal, quoi que le monde glose[4],
N'est que dans la façon de recevoir la chose ;
Et, pour se bien conduire en ces difficultés,
Il y faut, comme en tout, fuir les extrémités[5],
N'imiter pas ces gens un peu trop débonnaires
Qui tirent vanité de ces sortes d'affaires,
De leurs femmes toujours vont citant les galants,
En font partout l'éloge, et prônent leurs talents,
Témoignent avec eux d'étroites sympathies,
Sont de tous leurs cadeaux[6], de toutes leurs parties,
Et font qu'avec raison les gens sont étonnés
De voir leur hardiesse à montrer là leur nez.
Ce procédé, sans doute, est tout à fait blâmable ;
Mais l'autre extrémité n'est pas moins condamnable.
Si je n'approuve pas ces amis des galants,
Je ne suis pas aussi pour ces gens turbulents
Dont l'imprudent chagrin, qui tempête et qui gronde,

1235
1240
1245
1250
1255
1260

---

1. **Son manquement de foi :** la trahison de sa promesse.
2. **Garant :** à l'abri.
3. **De soi :** en lui-même.
4. **Glose :** dise.
5. **Fuir les extrémités :** fuir les attitudes extrêmes.
6. **Cadeaux :** repas, parties de campagne.

1265 Attire au bruit qu'il fait les yeux de tout le monde,
Et qui, par cet éclat, semblent ne pas vouloir
Qu'aucun[1] puisse ignorer ce qu'ils peuvent avoir.
Entre ces deux partis il en est un honnête,
Où dans l'occasion l'homme prudent s'arrête ;
1270 Et quand on le sait prendre, on n'a point à rougir
Du pis[2] dont une femme avec nous puisse agir.
Quoi qu'on en puisse dire enfin, le cocuage
Sous des traits moins affreux aisément s'envisage ;
Et, comme je vous dis, toute l'habileté
1275 Ne va qu'à le savoir tourner du bon côté.

ARNOLPHE

Après ce beau discours, toute la confrérie[3]
Doit un remercîment à votre seigneurie ;
Et quiconque voudra vous entendre parler
Montrera de la joie à s'y voir enrôler.

CHRYSALDE

1280 Je ne dis pas cela, car c'est ce que je blâme ;
Mais, comme c'est le sort qui nous donne une femme,
Je dis que l'on doit faire ainsi qu'au jeu de dés,
Où, s'il ne vous vient pas ce que vous demandez,
Il faut jouer d'adresse, et d'une âme réduite[4]
1285 Corriger le hasard par la bonne conduite.

ARNOLPHE

C'est-à-dire dormir et manger toujours bien,
Et se persuader que tout cela n'est rien.

CHRYSALDE

Vous pensez vous moquer ; mais, à ne vous rien feindre,
Dans le monde je vois cent choses plus à craindre
1290 Et dont je me ferais un bien plus grand malheur
Que de cet accident qui vous fait tant de peur.

---

1. **Aucun :** quelqu'un.
2. **Du pis :** du pire, de la plus mauvaise façon.
3. **La confrérie :** sous-entendu « des cocus ».
4. **Réduite :** résignée.

Pensez-vous qu'à choisir de deux choses prescrites,
Je n'aimasse pas mieux être ce que vous dites,
Que de me voir mari de ces femmes de bien,
1295 Dont la mauvaise humeur fait un procès sur rien,
Ces dragons de vertu[1], ces honnêtes diablesses,
Se retranchant toujours sur leurs sages prouesses,
Qui, pour un petit tort qu'elles ne nous font pas,
Prennent droit de traiter les gens de haut en bas,
1300 Et veulent, sur le pied de nous être fidèles[2],
Que nous soyons tenus à tout endurer d'elles ?
Encore un coup, compère, apprenez qu'en effet
Le cocuage n'est que ce que l'on le fait,
Qu'on peut le souhaiter pour de certaines causes,
1305 Et qu'il a ses plaisirs comme les autres choses.

ARNOLPHE

Si vous êtes d'humeur à vous en contenter,
Quant à moi, ce n'est pas la mienne d'en tâter ;
Et plutôt que subir une telle aventure...

CHRYSALDE

Mon Dieu ! ne jurez point, de peur d'être parjure.
1310 Si le sort l'a réglé, vos soins sont superflus,
Et l'on ne prendra pas votre avis là-dessus.

ARNOLPHE

Moi, je serais cocu ?

CHRYSALDE

        Vous voilà bien malade !
Mille gens le sont bien, sans vous faire bravade[3],
Qui de mine, de cœur, de biens et de maison[4],
1315 Ne feraient avec vous nulle comparaison.

---

1. **Ces dragons de vertu :** ces femmes d'une vertu farouche et austère.
2. **Sur le pied de nous être fidèles :** au titre de leur fidélité.
3. **Sans vous faire bravade :** sans vous offenser.
4. **Maison :** lignée familiale (noble).

ARNOLPHE

Et moi, je n'en voudrais avec eux faire aucune.
Mais cette raillerie, en un mot, m'importune :
Brisons là[1], s'il vous plaît.

CHRYSALDE

Vous êtes en courroux.
Nous en saurons la cause. Adieu. Souvenez-vous,
1320   Quoi que sur ce sujet votre honneur vous inspire,
Que c'est être à demi ce que l'on vient de dire,
Que de vouloir jurer qu'on ne le sera pas.

ARNOLPHE

Moi, je le jure encore, et je vais de ce pas
Contre cet accident trouver un bon remède.

Scène 9   ALAIN, GEORGETTE, ARNOLPHE.

ARNOLPHE

1325   Mes amis, c'est ici que j'implore votre aide.
Je suis édifié de[2] votre affection ;
Mais il faut qu'elle éclate en cette occasion ;
Et si vous m'y servez selon ma confiance,
Vous êtes assurés de votre récompense.
1330   L'homme que vous savez (n'en faites point de bruit)
Veut, comme je l'ai su, m'attraper[3] cette nuit,
Dans la chambre d'Agnès entrer par escalade ;
Mais il lui faut nous trois dresser une embuscade.

---

1. **Brisons là :** arrêtons là.
2. **Je suis édifié de :** je connais.
3. **Attraper :** prendre à un piège.

Je veux que vous preniez chacun un bon bâton,
1335 Et quand il sera près du dernier échelon
(Car dans le temps qu'il faut j'ouvrirai la fenêtre),
Que tous deux, à l'envi[1], vous me chargiez[2] ce traître,
Mais d'un air[3] dont son dos garde le souvenir,
Et qui lui puisse apprendre à n'y plus revenir :
1340 Sans me nommer pourtant en aucune manière,
Ni faire aucun semblant[4] que je serai derrière.
Auriez-vous bien l'esprit[5] de servir mon courroux ?

ALAIN

S'il ne tient qu'à frapper, mon Dieu ! tout est à nous :
Vous verrez, quand je bats, si j'y vais de main morte.

GEORGETTE

1345 La mienne, quoique aux yeux elle semble moins forte,
N'en quitte pas sa part à le bien étriller[6].

ARNOLPHE

Rentrez donc ; et surtout gardez de babiller.
Voilà pour le prochain une leçon utile ;
Et si tous les maris qui sont en cette ville
1350 De leurs femmes ainsi recevaient le galant,
Le nombre des cocus ne serait pas si grand.

---

1. **À l'envi :** à qui mieux mieux.
2. **Chargiez :** attaquiez.
3. **D'un air :** d'une manière.
4. **Faire aucun semblant :** laisser voir.
5. **L'esprit :** le courage.
6. **Étriller :** au sens propre, frotter un cheval avec l'étrille ; d'où, au sens figuré, battre.

ACTE V

Scène 1 ARNOLPHE, ALAIN, GEORGETTE.

ARNOLPHE
Traîtres, qu'avez-vous fait par cette violence ?

ALAIN
Nous vous avons rendu, Monsieur, obéissance.

ARNOLPHE
De cette excuse en vain vous voulez vous armer :
1355   L'ordre était de le battre, et non de l'assommer[1] ;
Et c'était sur le dos, et non pas sur la tête,
Que j'avais commandé qu'on fît choir la tempête.
Ciel ! dans quel accident[2] me jette ici le sort !
Et que puis-je résoudre[3] à voir cet homme mort ?
1360   Rentrez dans la maison, et gardez de rien dire[4]
De cet ordre innocent que j'ai pu vous prescrire.
Le jour s'en va paraître, et je vais consulter[5]
Comment dans ce malheur je me dois comporter.
Hélas ! que deviendrai-je ? et que dira le père,
1365   Lorsque inopinément il saura cette affaire ?

Scène 2 HORACE, ARNOLPHE.

HORACE
Il faut que j'aille un peu reconnaître qui c'est.

ARNOLPHE
Eût-on jamais prévu... ? Qui va là, s'il vous plaît ?

---

1. **Assommer :** tuer à coup de bâton.
2. **Accident :** malheur.
3. **Résoudre :** décider.
4. **Gardez de rien dire :** ne dites rien.
5. **Consulter :** réfléchir.

HORACE

C'est vous, Seigneur Arnolphe ?

ARNOLPHE

Oui, mais vous ?...

HORACE

C'est Horace.

Je m'en allais chez vous, vous prier d'une grâce.
1370 Vous sortez bien matin !

ARNOLPHE, *bas.*

Quelle confusion !

Est-ce un enchantement[1] ? est-ce une illusion ?

HORACE

J'étais, à dire vrai, dans une grande peine,
Et je bénis du Ciel la bonté souveraine
Qui fait qu'à point nommé je vous rencontre ainsi.
1375 Je viens vous avertir que tout a réussi,
Et même beaucoup plus que je n'eusse osé dire,
Et par un incident qui devait tout détruire.
Je ne sais point par où l'on a pu soupçonner
Cette assignation[2] qu'on m'avait su donner ;
1380 Mais, étant sur le point d'atteindre à la fenêtre,
J'ai, contre mon espoir, vu quelques gens paraître,
Qui, sur moi brusquement levant chacun le bras,
M'ont fait manquer le pied et tomber jusqu'en bas,
Et ma chute, aux dépens de[3] quelque meurtrissure,
1385 De vingt coups de bâton m'a sauvé l'aventure[4].
Ces gens-là, dont[5] était, je pense, mon jaloux,
Ont imputé ma chute à l'effort de leurs coups ;
Et, comme la douleur, un assez long espace[6],
M'a fait sans remuer demeurer sur la place,
1390 Ils ont cru tout de bon qu'ils m'avaient assommé,

---

1. **Enchantement :** tour de magie.
2. **Assignation :** rendez-vous.
3. **Aux dépens de :** au prix de.
4. **M'a sauvé l'aventure :** m'a épargné l'aventure.
5. **Dont :** parmi lesquels.
6. **Un assez long espace :** un assez long moment.

Et chacun d'eux s'en est aussitôt alarmé.
J'entendis tout le bruit dans le profond silence :
L'un l'autre ils s'accusaient de cette violence ;
Et sans lumière aucune, en querellant le sort[1],
1395 Sont venus doucement tâter si j'étais mort :
Je vous laisse à penser si, dans la nuit obscure,
J'ai d'un vrai trépassé su tenir la figure[2].
Ils se sont retirés avec beaucoup d'effroi ;
Et comme je songeais à me retirer, moi,
1400 De cette feinte mort la jeune Agnès émue
Avec empressement est devers[3] moi venue ;
Car les discours qu'entre eux ces gens avaient tenus
Jusques à son oreille étaient d'abord venus,
Et pendant tout ce trouble étant moins observée,
1405 Du logis aisément elle s'était sauvée ;
Mais me trouvant sans mal, elle a fait éclater
Un transport[4] difficile à bien représenter.
Que vous dirai-je enfin ? cette aimable personne
A suivi les conseils que son amour lui donne,
1410 N'a plus voulu songer à retourner chez soi,
Et de tout son destin s'est commise à ma foi[5].
Considérez un peu, par ce trait d'innocence,
Où l'expose d'un fou la haute impertinence[6],
Et quels fâcheux périls elle pourrait courir,
1415 Si j'étais maintenant homme à la moins chérir.
Mais d'un trop pur amour mon âme est embrasée :
J'aimerais mieux mourir que l'avoir abusée ;
Je lui vois des appas dignes d'un autre sort,
Et rien ne m'en saurait séparer que la mort.
1420 Je prévois là-dessus l'emportement d'un père ;
Mais nous prendrons le temps d'apaiser sa colère.
À des charmes si doux je me laisse emporter,

---

1. **En querellant le sort :** en maudissant le sort.
2. **Tenir la figure :** garder l'apparence.
3. **Devers :** vers.
4. **Transport :** manifestation de vive émotion.
5. **S'est commise à ma foi :** s'en est remise à ma parole.
6. **Impertinence :** attitude déraisonnable.

Et dans la vie enfin il se faut contenter.
Ce que je veux de vous, sous un secret fidèle,
1425 C'est que je puisse mettre en vos mains cette belle,
Que dans votre maison, en faveur de mes feux[1],
Vous lui donniez retraite au moins un jour ou deux.
Outre qu'aux yeux du monde il faut cacher sa fuite,
Et qu'on en pourrait faire une exacte[2] poursuite,
1430 Vous savez qu'une fille aussi de sa façon[3]
Donne avec un jeune homme un étrange soupçon ;
Et comme c'est à vous, sûr de votre prudence,
Que j'ai fait de mes feux entière confidence,
C'est à vous seul aussi, comme ami généreux,
1435 Que je puis confier ce dépôt amoureux.

ARNOLPHE
Je suis, n'en doutez point, tout à votre service.

HORACE
Vous voulez bien me rendre un si charmant office[4] ?

ARNOLPHE
Très volontiers, vous dis-je ; et je me sens ravir
De cette occasion que j'ai de vous servir,
1440 Je rends grâces au Ciel de ce qu'il me l'envoie,
Et n'ai jamais rien fait avec si grande joie.

HORACE
Que je suis redevable à toutes vos bontés !
J'avais de votre part craint des difficultés ;
Mais vous êtes du monde[5], et dans votre sagesse
1445 Vous savez excuser le feu de la jeunesse.
Un de mes gens la garde au coin de ce détour[6].

ARNOLPHE
Mais comment ferons-nous ? car il fait un peu jour :
Si je la prends ici, l'on me verra peut-être ;

---

1. **En faveur de mes feux :** pour favoriser mes amours.
2. **Exacte :** soigneuse.
3. **De sa façon :** comme elle (c'est-à-dire : belle comme elle l'est).
4. **Un si charmant office :** un si plaisant service.
5. **Vous êtes du monde :** vous appartenez à la bonne société.
6. **Détour :** tournant.

Et s'il faut que chez moi vous veniez à paraître,
1450 Des valets causeront. Pour jouer au plus sûr,
Il faut me l'amener dans un lieu plus obscur.
Mon allée est commode, et je l'y vais attendre.

HORACE
Ce sont précautions qu'il est fort bon de prendre.
Pour moi, je ne ferai que vous la mettre en main,
1455 Et chez moi, sans éclat[1], je retourne soudain.

ARNOLPHE, *seul.*
Ah ! fortune, ce trait d'aventure propice[2]
Répare tous les maux que m'a faits ton caprice !
(Il s'enveloppe le nez de son manteau.)

Scène 3 AGNÈS, ARNOLPHE, HORACE.

HORACE, *à Agnès.*
Ne soyez point en peine où[3] je vais vous mener :
C'est un logement sûr que je vous fais donner.
1460 Vous loger avec moi, ce serait tout détruire :
Entrez dans cette porte et laissez-vous conduire.
(Arnolphe lui prend la main sans qu'elle le reconnaisse.)

AGNÈS
Pourquoi me quittez-vous ?

HORACE
        Chère Agnès, il le faut.

AGNÈS
Songez donc, je vous prie, à revenir bientôt.

HORACE
J'en suis assez pressé par ma flamme amoureuse.

---

1. **Sans éclat :** sans faire de bruit.
2. **Ce trait d'aventure propice :** ce hasard favorable.
3. **Ne soyez point en peine où :** ne vous demandez pas avec inquiétude où.

AGNÈS

1465 Quand je ne vous vois point, je ne suis point joyeuse.

HORACE

Hors de votre présence, on me voit triste aussi.

AGNÈS

Hélas ! s'il était vrai[1], vous resteriez ici.

HORACE

Quoi ? vous pourriez douter de mon amour extrême !

AGNÈS

Non, vous ne m'aimez pas autant que je vous aime.
(Arnolphe la tire.)
1470 Ah ! l'on me tire trop.

HORACE

             C'est qu'il est dangereux,
Chère Agnès, qu'en ce lieu nous soyons vus tous deux ;
Et ce parfait ami de qui la main vous presse
Suit le zèle prudent qui pour nous l'intéresse[2].

AGNÈS

Mais suivre un inconnu que...

HORACE

                N'appréhendez rien :
1475 Entre de telles mains vous ne serez que bien.

AGNÈS

Je me trouverais mieux entre celles d'Horace.
Et j'aurais...
(À Arnolphe qui la tire encore.)
            Attendez.

HORACE

           Adieu : le jour me chasse.

AGNÈS

Quand vous verrai-je donc ?

---

1. **S'il était vrai :** si c'était vrai.
2. **Suit le zèle prudent qui pour nous l'intéresse :** obéit au zèle prudent qui le fait s'intéresser à nous.

HORACE
Bientôt, assurément.

AGNÈS
Que je vais m'ennuyer[1] jusques à ce moment !

HORACE
1480 Grâce au Ciel, mon bonheur n'est plus en concurrence[2],
Et je puis maintenant dormir en assurance.

Scène 4 ARNOLPHE, AGNÈS.

ARNOLPHE, *le nez dans son manteau.*
Venez, ce n'est pas là que je vous logerai,
Et votre gîte ailleurs est par moi préparé :
Je prétends en lieu sûr mettre votre personne.
1485 Me connaissez-vous ?

AGNÈS, *le reconnaissant.*
Hay !

ARNOLPHE
Mon visage, friponne,
Dans cette occasion rend vos sens effrayés,
Et c'est à contre-cœur qu'ici vous me voyez.
Je trouble en ses projets l'amour qui vous possède.
(Agnès regarde si elle ne verra point Horace.)
N'appelez point des yeux le galant à votre aide :
1490 Il est trop éloigné pour vous donner secours.
Ah ! ah ! si jeune encor, vous jouez de ces tours !
Votre simplicité, qui semble sans pareille,
Demande si l'on fait les enfants par l'oreille ;
Et vous savez donner des rendez-vous la nuit,
1495 Et pour suivre un galant vous évader sans bruit !

---

1. **Ennuyer :** désespérer.
2. **En concurrence :** incertain.

Tudieu[1] ! comme avec lui votre langue cajole !
Il faut qu'on vous ait mise à quelque bonne école.
Qui diantre tout d'un coup vous en a tant appris ?
Vous ne craignez donc plus de trouver des esprits[2] ?
1500 Et ce galant, la nuit, vous a donc enhardie ?
Ah ! coquine, en venir à cette perfidie !
Malgré tous mes bienfaits former un tel dessein !
Petit serpent que j'ai réchauffé dans mon sein,
Et qui, dès qu'il se sent[3], par une humeur ingrate,
1505 Cherche à faire du mal à celui qui le flatte[4] !

AGNÈS

Pourquoi me criez[5]-vous ?

ARNOLPHE

                    J'ai grand tort en effet !

AGNÈS

Je n'entends point de mal dans tout ce que j'ai fait.

ARNOLPHE

Suivre un galant n'est pas une action infâme ?

AGNÈS

C'est un homme qui dit qu'il me veut pour sa femme :
1510 J'ai suivi vos leçons, et vous m'avez prêché
Qu'il se faut marier pour ôter le péché.

ARNOLPHE

Oui. Mais pour femme, moi je prétendais vous prendre ;
Et je vous l'avais fait, me semble[6], assez entendre.

AGNÈS

Oui. Mais, à vous parler franchement entre nous,
1515 Il est plus pour cela selon mon goût que vous.
Chez vous le mariage est fâcheux et pénible,
Et vos discours en font une image terrible ;

---

1. **Tudieu :** forme abrégée de « vertudieu » (juron).
2. **Esprits :** fantômes.
3. **Dès qu'il se sent :** dès qu'il sent sa force.
4. **Flatte :** caresse.
5. **Criez :** grondez.
6. **Me semble :** il me semble.

Mais, las[1] ! il le fait, lui, si rempli de plaisirs,
Que de se marier il donne des désirs.

ARNOLPHE

1520   Ah ! c'est que vous l'aimez, traîtresse !

AGNÈS

                    Oui, je l'aime.

ARNOLPHE

Et vous avez le front de le dire à moi-même !

AGNÈS

Et pourquoi, s'il est vrai, ne le dirais-je pas ?

ARNOLPHE

Le deviez-vous aimer, impertinente ?

AGNÈS

                    Hélas !
Est-ce que j'en puis mais[2] ? Lui seul en est la cause ;
1525   Et je n'y songeais pas lorsque se fit la chose.

ARNOLPHE

Mais il fallait chasser cet amoureux désir.

AGNÈS

Le moyen de chasser ce qui fait du plaisir ?

ARNOLPHE

Et ne saviez-vous pas que c'était me déplaire ?

AGNÈS

Moi ? point du tout. Quel mal cela vous peut-il faire ?

ARNOLPHE

1530   Il est vrai, j'ai sujet d'en être réjoui.
Vous ne m'aimez donc pas, à ce compte ?

AGNÈS

                    Vous ?

ARNOLPHE

                    Oui.

---

1. **Las :** hélas.
2. **Est-ce que j'en puis mais ? :** est-ce que j'y peux quelque chose ?

AGNÈS

Hélas ! non.

ARNOLPHE

Comment, non !

AGNÈS

Voulez-vous que je mente ?

ARNOLPHE

Pourquoi ne m'aimer pas, Madame l'impudente ?

AGNÈS

Mon Dieu, ce n'est pas moi que vous devez blâmer :
1535   Que ne vous êtes-vous, comme lui, fait aimer ?
Je ne vous en ai pas empêché, que je pense.

ARNOLPHE

Je m'y suis efforcé de toute ma puissance ;
Mais les soins que j'ai pris, je les ai perdus tous.

AGNÈS

Vraiment, il en sait donc là-dessus plus que vous ;
15 40   Car à se faire aimer il n'a point eu de peine.

ARNOLPHE

Voyez comme raisonne et répond la vilaine[1] !
Peste ! une précieuse en dirait-elle plus ?
Ah ! je l'ai mal connue ; ou, ma foi ! là-dessus
Une sotte en sait plus que le plus habile homme.
1545   Puisque en raisonnement votre esprit se consomme[2],
La belle raisonneuse, est-ce qu'un si long temps
Je vous aurai pour lui nourrie à mes dépens ?

AGNÈS

Non. Il vous rendra tout jusques au dernier double[3].

ARNOLPHE

Elle a de certains mots où mon dépit redouble.
1550   Me rendra-t-il, coquine, avec tout son pouvoir,
Les obligations que vous pouvez m'avoir ?

---

1. **Vilaine :** paysanne.
2. **Se consomme :** excelle.
3. **Double :** petite monnaie.

AGNÈS

Je ne vous en ai pas d'aussi grandes qu'on pense.

ARNOLPHE

N'est-ce rien que les soins d'élever votre enfance ?

AGNÈS

Vous avez là dedans[1] bien opéré vraiment,
1555 Et m'avez fait en tout instruire joliment !
Croit-on que je me flatte, et qu'enfin, dans ma tête,
Je ne juge pas bien que je suis une bête ?
Moi-même, j'en ai honte ; et, dans l'âge où je suis,
Je ne veux plus passer pour sotte, si je puis.

ARNOLPHE

1560 Vous fuyez l'ignorance, et voulez, quoi qu'il coûte,
Apprendre du blondin quelque chose ?

AGNÈS

Sans doute.

C'est de lui que je sais ce que je peux savoir :
Et beaucoup plus qu'à vous je pense lui devoir.

ARNOLPHE

Je ne sais qui me tient[2] qu'avec une gourmade[3]
1565 Ma main de ce discours ne venge la bravade[4].
J'enrage quand je vois sa piquante[5] froideur,
Et quelques coups de poing satisferaient mon cœur.

AGNÈS

Hélas ! vous le pouvez, si cela vous peut plaire.

ARNOLPHE

Ce mot et ce regard désarme ma colère,
1570 Et produit un retour de tendresse et de cœur,
Qui de son action efface la noirceur.
Chose étrange d'aimer, et que pour ces traîtresses
Les hommes soient sujets à de telles faiblesses !

---

1. **Là dedans :** sur ce point.
2. **Qui me tient :** ce qui me retient.
3. **Gourmade :** coup de poing (familier).
4. **Bravade :** défi.
5. **Piquante :** vexante.

Tout le monde connaît leur imperfection :
1575 Ce n'est qu'extravagance et qu'indiscrétion[1] ;
Leur esprit est méchant, et leur âme fragile ;
Il n'est rien de plus faible et de plus imbécile[2],
Rien de plus infidèle : et malgré tout cela,
Dans le monde on fait tout pour ces animaux-là.
1580 Hé bien ! faisons la paix. Va, petite traîtresse,
Je te pardonne tout et te rends ma tendresse.
Considère par là l'amour que j'ai pour toi,
Et me voyant si bon, en revanche aime-moi.

AGNÈS

Du meilleur de mon cœur je voudrais vous complaire :
1585 Que me coûterait-il, si je le pouvais faire ?

ARNOLPHE

Mon pauvre petit bec[3], tu le peux, si tu veux.
(Il fait un soupir.)
Écoute seulement ce soupir amoureux,
Vois ce regard mourant, contemple ma personne,
Et quitte ce morveux[4] et l'amour qu'il te donne.
1590 C'est quelque sort qu'il faut qu'il ait jeté sur toi,
Et tu seras cent fois plus heureuse avec moi.
Ta forte passion est d'être brave[5] et leste[6] :
Tu le seras toujours, va, je te le proteste[7] ;
Sans cesse, nuit et jour, je te caresserai,
1595 Je te bouchonnerai[8], baiserai[9], mangerai ;
Tout comme tu voudras, tu pourras te conduire :
Je ne m'explique point, et cela, c'est tout dire.

---

1. **Indiscrétion :** manque de sagesse.
2. **Imbécile :** faible (physiquement et intellectuellement).
3. **Petit bec :** terme affectueux.
4. **Morveux :** enfant encore en âge d'être mouché ; et plus largement, personne trop jeune.
5. **Brave :** très bien habillé.
6. **Leste :** élégante.
7. **Proteste :** promets.
8. **Bouchonnerai :** au sens propre, frotter un cheval avec un bouchon de paille. D'où, par extension, cajoler (terme très familier).
9. **Baiserai :** donnerai des baisers.

(À part.)
Jusqu'où la passion peut-elle faire aller !
(Haut.)
Enfin à mon amour rien ne peut s'égaler :
1600   Quelle preuve veux-tu que je t'en donne, ingrate ?
Me veux-tu voir pleurer ? Veux-tu que je me batte ?
Veux-tu que je m'arrache un côté de cheveux ?
Veux-tu que je me tue ? Oui, dis si tu le veux :
Je suis tout prêt, cruelle, à te prouver ma flamme.

AGNÈS

1605   Tenez, tous vos discours ne me touchent point l'âme :
Horace avec deux mots en ferait plus que vous.

ARNOLPHE

Ah ! c'est trop me braver, trop pousser mon courroux.
Je suivrai mon dessein, bête trop indocile,
Et vous dénicherez[1] à l'instant de la ville.
1610   Vous rebutez mes vœux[2] et me mettez à bout ;
Mais un cul de couvent[3] me vengera de tout.

Scène 5   ARNOLPHE, ALAIN.

ALAIN

Je ne sais ce que c'est, Monsieur, mais il me semble
Qu'Agnès et le corps mort s'en sont allés ensemble.

ARNOLPHE

La voici. Dans ma chambre allez me la nicher :
1615   Ce ne sera pas là qu'il la viendra chercher ;
Et puis c'est seulement pour une demie-heure :

---

1. **Dénicherez :** décamperez.
2. **Vous rebutez mes vœux :** vous repoussez mes prières amoureuses.
3. **Cul de couvent :** endroit le plus reculé d'un couvent.

Je vais, pour lui donner une sûre demeure,
Trouver une voiture. Enfermez-vous des mieux[1],
Et surtout gardez-vous de la quitter des yeux.
1620 Peut-être que son âme, étant dépaysée,
Pourra de cet amour être désabusée[2].

Scène 6 ARNOLPHE, HORACE.

HORACE
Ah ! je viens vous trouver, accablé de douleur.
Le Ciel, Seigneur Arnolphe, a conclu mon malheur ;
Et par un trait fatal d'une injustice extrême,
1625 On me veut arracher de la beauté que j'aime.
Pour arriver ici mon père a pris le frais ;
J'ai trouvé qu'il mettait pied à terre ici près ;
Et la cause, en un mot, d'une telle venue,
Qui, comme je disais, ne m'était pas connue,
1630 C'est qu'il m'a marié sans m'en écrire rien,
Et qu'il vient en ces lieux célébrer ce lien.
Jugez, en prenant part à mon inquiétude,
S'il pouvait m'arriver un contre-temps plus rude.
Cet Enrique, dont hier je m'informais à vous,
1635 Cause tout le malheur dont je ressens les coups ;
Il vient avec mon père achever ma ruine,
Et c'est sa fille unique à qui l'on me destine.
J'ai, dès leurs premiers mots, pensé m'évanouir ;
Et d'abord, sans vouloir plus longtemps les ouïr,
1640 Mon père ayant parlé de vous rendre visite,
L'esprit plein de frayeur je l'ai devancé vite.

---

1. **Des mieux :** du mieux que vous pouvez.
2. **Désabusée :** détrompée.

De grâce, gardez-vous de lui rien découvrir
De mon engagement qui le pourrait aigrir ;
Et tâchez, comme en vous il prend grande créance[1],
1645 De le dissuader de cette autre alliance.

ARNOLPHE

Oui-da[2].

HORACE

Conseillez-lui de différer un peu,
Et rendez, en ami, ce service à mon feu.

ARNOLPHE

Je n'y manquerai pas.

HORACE

C'est en vous que j'espère.

ARNOLPHE

Fort bien.

HORACE

Et je vous tiens mon véritable père.
1650 Dites-lui que mon âge... Ah ! je le vois venir :
Écoutez les raisons que je vous puis fournir.
(Ils demeurent en un coin du théâtre.)

Scène 7 ENRIQUE, ORONTE, CHRYSALDE, HORACE, ARNOLPHE.

ENRIQUE, *à Chrysalde.*

Aussitôt qu'à mes yeux je vous ai vu paraître,
Quand on ne m'eût rien dit, j'aurais su vous connaître[3].
J'ai reconnu les traits de cette aimable sœur
1655 Dont l'hymen autrefois m'avait fait possesseur ;

---

1. **Créance** : confiance.
2. **Oui-da** : oui, volontiers.
3. **Connaître** : reconnaître.

Et je serais heureux si la Parque cruelle
M'eût laissé ramener cette épouse fidèle,
Pour jouir avec moi des sensibles douceurs
De revoir tous les siens après nos longs malheurs.
1660 Mais puisque du destin la fatale puissance
Nous prive pour jamais de sa chère présence,
Tâchons de nous résoudre, et de nous contenter[1]
Du seul fruit amoureux qui m'en est pu rester.
Il vous touche de près ; et, sans votre suffrage[2],
1665 J'aurais tort de vouloir disposer de ce gage.
Le choix du fils d'Oronte est glorieux de soi ;
Mais il faut que ce choix vous plaise comme à moi.

CHRYSALDE

C'est de mon jugement avoir mauvaise estime
Que douter si j'approuve un choix si légitime.

ARNOLPHE, *à Horace.*

1670 Oui, je veux vous servir de la bonne façon.

HORACE

Gardez, encore un coup...

ARNOLPHE

        N'ayez aucun soupçon.

ORONTE, *à Arnolphe.*

Ah ! que cette embrassade est pleine de tendresse !

ARNOLPHE

Que je sens à vous voir une grande allégresse !

ORONTE

Je suis ici venu...

ARNOLPHE

        Sans m'en faire récit,
1675 Je sais ce qui vous mène[3].

ORONTE

        On vous l'a déjà dit ?

---

1. **Nous contenter :** être contents.
2. **Suffrage :** approbation.
3. **Mène :** amène.

ARNOLPHE

Oui.

ORONTE

Tant mieux.

ARNOLPHE

Votre fils à cet hymen résiste,
Et son cœur prévenu[1] n'y voit rien que de triste :
Il m'a même prié de vous en détourner ;
Et moi, tout le conseil que je vous puis donner,
1680 C'est de ne pas souffrir que ce nœud se diffère,
Et de faire valoir l'autorité de père.
Il faut avec vigueur ranger[2] les jeunes gens,
Et nous faisons contre eux[3] à leur être indulgents.

HORACE

Ah ! traître !

CHRYSALDE

Si son cœur a quelque répugnance,
1685 Je tiens qu'on ne doit pas lui faire résistance.
Mon frère[4], que je crois[5], sera de mon avis.

ARNOLPHE

Quoi ? se laissera-t-il gouverner par son fils ?
Est-ce que vous voulez qu'un père ait la mollesse
De ne savoir pas faire obéir la jeunesse ?
1690 Il serait beau vraiment qu'on le vît aujourd'hui
Prendre loi de qui doit la recevoir de lui !
Non, non : c'est mon intime, et sa gloire est la mienne :
Sa parole est donnée, il faut qu'il la maintienne,
Qu'il fasse voir ici de fermes sentiments,
1695 Et force[6] de son fils tous les attachements.

---

1. **Prévenu :** rempli de méfiance.
2. **Ranger :** soumettre, faire obéir.
3. **Nous faisons contre eux :** nous ne leur rendons pas service, nous agissons contre leur intérêt.
4. **Mon frère :** appellation usuelle et affectueuse pour s'adresser à son beau-frère.
5. **Que je crois :** à ce que je crois.
6. **Force :** rompe.

ORONTE

C'est parler comme il faut, et, dans cette alliance,
C'est moi qui vous réponds de son obéissance.

CHRYSALDE, *à Arnolphe.*

Je suis surpris, pour moi, du grand empressement
Que vous me faites voir pour cet engagement,
1700 Et ne puis deviner quel motif vous inspire...

ARNOLPHE

Je sais ce que je fais, et dis ce qu'il faut dire.

ORONTE

Oui, oui, Seigneur Arnolphe, il est...

CHRYSALDE

                 Ce nom l'aigrit ;
C'est Monsieur de la Souche, on vous l'a déjà dit.

ARNOLPHE

Il n'importe.

HORACE

      Qu'entends-je ?

ARNOLPHE, *se retournant vers Horace.*

              Oui, c'est là le mystère,
1705 Et vous pouvez juger ce que je devais faire.

HORACE

En quel trouble...

Scène 8   GEORGETTE, HENRIQUE, ORONTE, CHRYSALDE, HORACE, ARNOLPHE.

GEORGETTE

        Monsieur, si vous n'êtes auprès,
Nous aurons de la peine à retenir Agnès ;
Elle veut à tous coups s'échapper, et peut-être
Qu'elle se pourrait bien jeter par la fenêtre.

ARNOLPHE

1710 Faites-la-moi venir ; aussi bien de ce pas
Prétends-je l'emmener.
(À Horace.)
                              Ne vous en fâchez pas[1] :
Un bonheur continu rendrait l'homme superbe[2] ;
Et chacun a son tour, comme dit le proverbe.

HORACE

Quels maux peuvent, Ô Ciel ! égaler mes ennuis !
1715 Et s'est-on jamais vu dans l'abîme où je suis !

ARNOLPHE, *à Oronte.*

Pressez vite le jour de la cérémonie :
J'y prends part, et déjà moi-même je m'en prie[3].

ORONTE

C'est bien là mon dessein.

Scène 9 AGNÈS, ALAIN, GEORGETTE, HENRIQUE, ORONTE, HORACE, CHRYSALDE,ARNOLPHE.

ARNOLPHE, *à Agnès.*
                              Venez, belle, venez,
Qu'on ne saurait tenir, et qui vous mutinez.
1720 Voici votre galant, à qui, pour récompense,
Vous pouvez faire une humble et douce révérence.
Adieu. *(À Horace.)* L'événement trompe un peu vos souhaits ;
Mais tous les amoureux ne sont pas satisfaits.

---

1. **Ne vous en fâchez pas :** Arnolphe s'adresse à Horace.
2. **Superbe :** orgueilleux, vaniteux.
3. **Je m'en prie :** je m'y invite.

AGNÈS

Me laissez-vous, Horace, emmener de la sorte ?

HORACE

1725 Je ne sais où j'en suis, tant ma douleur est forte.

ARNOLPHE

Allons, causeuse, allons.

AGNÈS

Je veux rester ici.

ORONTE

Dites-nous ce que c'est que ce mystère-ci,
Nous nous regardons tous, sans le pouvoir comprendre.

ARNOLPHE

Avec plus de loisir je pourrai vous l'apprendre.
1730 Jusqu'au revoir.

ORONTE

Où donc prétendez-vous aller ?
Vous ne nous parlez point comme il nous faut parler.

ARNOLPHE

Je vous ai conseillé, malgré tout son murmure,
D'achever l'hyménée.

ORONTE

Oui. Mais pour le conclure,
Si l'on vous a dit tout, ne vous a-t-on pas dit
1735 Que vous avez chez vous celle dont il s'agit,
La fille qu'autrefois de l'aimable Angélique,
Sous des liens secrets, eut le seigneur Enrique ?
Sur quoi votre discours était-il donc fondé ?

CHRYSALDE

Je m'étonnais aussi de voir son procédé.

ARNOLPHE

1740 Quoi ?...

CHRYSALDE

D'un hymen secret ma sœur eut une fille,
Dont on cacha le sort à toute la famille.

ORONTE

Et qui sous de feints noms, pour ne rien découvrir,
Par son époux aux champs fut donnée à nourrir[1].

CHRYSALDE

Et dans ce temps, le sort, lui déclarant la guerre,
1745 L'obligea de sortir de sa natale terre.

ORONTE

Et d'aller essuyer mille périls divers
Dans ces lieux séparés de nous par tant de mers.

CHRYSALDE

Où ses soins ont gagné ce que dans sa patrie
Avaient pu lui ravir l'imposture et l'envie.

ORONTE

1750 Et de retour en France, il a cherché d'abord
Celle à qui de sa fille il confia le sort.

CHRYSALDE

Et cette paysanne a dit avec franchise
Qu'en vos mains à quatre ans elle l'avait remise.

ORONTE

Et qu'elle l'avait fait sur votre charité[2],
1755 Par un accablement d'extrême pauvreté.

CHRYSALDE

Et lui, plein de transport et d'allégresse en l'âme,
A fait jusqu'en ces lieux conduire cette femme.

ORONTE

Et vous allez enfin la voir venir ici,
Pour rendre aux yeux de tous ce mystère éclairci.

CHRYSALDE

1760 Je devine à peu près quel est votre supplice ;
Mais le sort en cela ne vous est que propice :
Si n'être point cocu vous semble un si grand bien,
Ne vous point marier en est le vrai moyen.

---

1. **Nourrir :** élever.
2. **Sur votre charité :** sur votre réputation de charité.

ARNOLPHE, *s'en allant tout transporté et ne pouvant parler.*
Oh !

ORONTE
D'où vient qu'il s'enfuit sans rien dire ?

HORACE
Ah ! mon père,
1765 Vous saurez pleinement ce surprenant mystère.
Le hasard en ces lieux avait exécuté
Ce que votre sagesse avait prémédité :
J'étais par les doux nœuds d'une amour mutuelle
Engagé de parole avecque cette belle ;
1770 Et c'est elle, en un mot, que vous venez chercher,
Et pour qui mon refus a pensé[1] vous fâcher.

ENRIQUE
Je n'en ai point douté d'abord que je l'ai vue,
Et mon âme depuis n'a cessé d'être émue.
Ah ! ma fille, je cède à des transports si doux.

CHRYSALDE
1775 J'en ferais de bon cœur, mon frère, autant que vous,
Mais ces lieux et cela ne s'accommodent guères.
Allons dans la maison débrouiller ces mystères,
Payer à notre ami ses soins officieux[2],
Et rendre grâce au Ciel qui fait tout pour le mieux.

---

1. **A pensé :** a failli.
2. **Officieux :** obligeants, secourables.

Clefs d'analyse

Action et personnages

1. Pourquoi Arnolphe ressent-il « une grande allégresse » (v. 1673) à la vue d'Oronte ?

2. Arnolphe ment-il aux vers 1676-1683 ?

3. Pourquoi Arnolphe donne-t-il son soutien à Oronte dans la scène 7 ? En quoi trahit-il ainsi Horace ?

4. Dans la scène 7, quelle information capitale Horace apprend-il sur Arnolphe (v. 1702-1706) ? Pourquoi peut-on parler de coup de théâtre ?

5. Que s'apprête à faire Arnolphe dans les scènes 7 et 8 (v. 1710-1726) ?

6. Quel aspect du caractère d'Arnolphe reparaît au vers 1712 ? De quels autres vers prononcés par Arnolphe ce vers peut-il être rapproché ?

7. Quel lien de parenté le spectateur découvre-t-il entre Agnès et Chrysalde ? Entre Enrique et Chrysalde ?

Langue

8. Comment définiriez-vous la manière dont s'exprime Enrique ?

9. Pourquoi Molière a-t-il choisi de faire raconter l'histoire d'Agnès sous forme d'un dialogue entre Chrysalde et Oronte plutôt que dans une simple tirade ?

Genre ou thèmes

10. Montrez que le dénouement peut se décomposer en plusieurs étapes.

11. Quelle est la fonction dramatique de la scène 8 ? Est-ce seulement une scène de transition ?

12. Comparez la dernière scène avec la première. Quels sont les liens qui les unissent ? En quoi s'opposent-elles ?

13. Qui apprend quoi dans ces trois dernières scènes ?

14. Montrez que la scène 9 comporte deux mouvements, qui rendent plus sensible l'effondrement du plan d'Arnolphe.

Écriture

15. Rédigez, en prose, le récit de l'enfance d'Agnès, depuis sa naissance jusqu'au moment où elle fut confiée à Arnolphe.

16. Devant son ami Chrysalde, Arnolphe tire les leçons de son malheur : rédigez sa tirade.

Pour aller plus loin

17. Comment interprétez-vous le « Ouf ! » d'Arnolphe (v. 1764) ? Si vous étiez un acteur, comment joueriez-vous ce passage ? S'agit-il d'inspirer de la pitié ?

18. Dans sa mise en scène du dénouement de la pièce, Louis Jouvet faisait entrer Enrique dans une chaise à porteur portée par quatre Indiens ; quel aspect du dénouement voulait-il ainsi souligner ?

19. Pour garantir que la joie et le soulagement du spectateur soient complets, Corneille recommandait d'achever la pièce en « rend[ant] amis ceux qui étaient ennemis ». Pourquoi Molière n'a-t-il pas suivi cette recommandation ici ?

20. Comparez ce dénouement avec celui d'autres pièces de théâtre que vous connaissez. Expliquez en quoi ces dénouements sont similaires et en quoi ils se distinguent

✳ À retenir

Le dénouement consiste en la reconstitution d'une vérité totale, et assure les héros positifs d'un avenir heureux, le plus souvent, comme ici le mariage. Si ce dénouement, jugé trop romanesque, a été accusé d'invraisemblance, il n'en demeure pas moins éminemment poétique, et donne au personnage d'Agnès, apprenant son passé au moment où se dessine son avenir, une profondeur nouvelle.

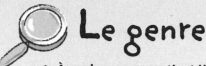

Le genre

1. À quel genre appartient *L'École des femmes* ?
   a. le dialogue   b. la comédie
   c. la tragédie   d. la farce

2. Pourquoi peut-on parler de « grande comédie » ?
   a. Parce que la pièce est longue.
   b. Parce que la pièce est célèbre.
   c. Parce que la pièce comporte cinq actes et est écrite en vers.

3. Quel est l'enjeu principal de cette pièce ?
   a. une enquête
   b. un mariage
   c. un coup de foudre

4. À quels milieux sociaux appartiennent les principaux personnages de cette comédie ? (plusieurs réponses sont possibles)
   a. le milieu paysan   b. la bourgeoisie
   c. la noblesse   d. le clergé

L'action

Dans les groupes d'actions suivants, barrez celles qui n'ont pas lieu dans la pièce :

1. Dans l'acte I :
   ☐ Arnolphe rend visite à Agnès et admire sa naïveté.
   ☐ Agnès raconte à Arnolphe sa rencontre avec Horace.
   ☐ Arnolphe révèle à Horace qu'il est M. de la Souche.
   ☐ Arnolphe ordonne à Agnès de chasser Horace à coups de pierre.
   ☐ Chrysalde annonce à Arnolphe qu'il va se marier.
   ☐ Arnolphe découvre qu'Horace a fait la cour à Agnès.
   ☐ Arnolphe chasse Horace à coups de pierre.

2. **Dans l'acte III :**
   ☐ Horace révèle à Arnolphe la ruse d'Agnès.
   ☐ Arnolphe sermonne Agnès.
   ☐ Agnès tombe amoureuse d'Arnolphe.
   ☐ Horace renonce à épouser Agnès.
   ☐ Arnolphe renonce à épouser Agnès.
   ☐ Agnès utilise un pigeon voyageur pour faire parvenir une lettre à Horace.

3. **Dans l'acte V :**
   ☐ Oronte, ami d'Arnolphe, arrive pour marier son fils Horace à la fille d'Enrique.
   ☐ Arnolphe voit Agnès s'enfuir avec Horace.
   ☐ Horace meurt sous les coups des valets d'Arnolphe.
   ☐ Arnolphe soutient la décision d'Oronte contre Horace.
   ☐ Arnolphe apprend qu'Agnès est la fille d'Oronte.
   ☐ Horace pourra épouser Agnès.
   ☐ Arnolphe pourra épouser Agnès.
   ☐ Arnolphe reprend possession d'Agnès et veut la reconduire au couvent.

Les personnages

Reliez chaque personnage à ses deux caractéristiques principales :

1. Agnès	a- galant, -e
2. Horace	b- naïf, -ve
3. Arnolphe	c- tyrannique
4. Chrysalde	d- raisonnable
	e- séduisant, -e
	f- philosophe
	g- instinctif, -ve
	h- égoïste

La composition globale

Reconstituez le résumé de la pièce en classant ces actions dans l'ordre chronologique :

- ☐ Arnolphe réussit à reprendre possession d'Agnès.
- ☐ Agnès raconte à Arnolphe sa rencontre avec Horace ; Arnolphe la réprimande.
- ☐ Arnolphe voit Agnès lancer une pierre à Horace.
- ☐ Arnolphe décommande le dîner prévu et prépare Alain et Georgette pour une embuscade nocturne.
- ☐ Agnès repousse les déclarations d'amour que lui fait Arnolphe. Arnolphe la menace du couvent.
- ☐ Horace découvre qu'Arnolphe et le tuteur d'Agnès (M. de la Souche) ne font qu'un.
- ☐ Arnolphe rencontre Horace, fils de son ami Oronte, qui lui raconte qu'il vient de rencontrer une jeune fille nommée Agnès et qu'il en est tombé amoureux. Horace ignore qu'Arnolphe est le tuteur tyrannique d'Agnès (M. de la Souche).
- ☐ Arnolphe reporte le mariage prévu, le temps d'écarter définitivement Horace.
- ☐ Horace demande de l'aide à Arnolphe, car son père Oronte est de retour pour le marier contre son gré à la fille d'Enrique.
- ☐ On apprend qu'Agnès est la fille d'Enrique, donc la femme choisie par Oronte pour Horace : les jeunes amoureux pourront s'unir par le mariage, l'échec d'Arnolphe est total.
- ☐ Arnolphe annonce à son ami Chrysalde son intention d'épouser sa pupille Agnès.
- ☐ Agnès s'enfuit avec Horace.
- ☐ Horace raconte à Arnolphe qu'Agnès a joint une lettre d'amour à la lettre qu'elle lui a lancée.
- ☐ Arnolphe apprend qu'Horace se trouvait dans la chambre d'Agnès, caché dans une armoire, lorsque lui-même y était, et qu'il rejoindra Agnès la nuit suivante.

Les mots du XVIIᵉ siècle

Associez à chaque mot du XVIIᵉ siècle son synonyme au XXIᵉ siècle :

1. ennui
2. d'abord
3. généreux
4. souffrir
5. bile
6. médecine
7. abuser
8. cadeau
9. comme
10. inquiet
11. entendre
12. cassette
13. feu, feux
14. simple
15. se contenter
16. objet
17. prévenu
18. nourrir
19. intelligence
20. admirer
21. heur
22. honnête
23. transport
24. hardes
25. en diligence
26. mander

a- comprendre
b- repas ou partie de campagne
c- tromper
d- coffret
e- plein de préjugés, de méfiance
f- être content
g- amour
h- vêtements
i- élever
j- bien vite
k- naïve
l- faire venir
m- supporter, tolérer
n- considérer avec étonnement
o- tourment
p- manifestation vive d'un sentiment
q- tout de suite
r- personne aimée
s- chance
t- respectueux des bonnes manières
u- colère
v- agité
w- au cœur noble
x- remède
y- comment
z- complicité

L'éducation donnée à Agnès et « l'École des femmes »

Choisissez parmi les mots de la liste suivante, et complétez le texte :

naïve – littérature – Oronte – ruser – dix-neuf – adroite – collège – vulgaire – épouse – développer – cultivée – dix-sept – maladroite – couvent – mathématique – violence – Enrique – simple – université – prière – réfléchir – couture – douze – limiter – amour – intellectuelle – élève – intelligente – raffiné – Horace.

Arnolphe a fait élever Agnès dans un .... Elle y a appris la .... et la .... Le but était de .... son esprit et ses connaissances, afin qu'elle devienne une parfaite .... C'est pourquoi, arrivée à l'âge de .... ans, Agnès, bonne à marier selon Arnolphe, est une jeune fille .... et .... , ... dans son maniement du langage. Pourtant, la rencontre d' .... a sur Agnès une influence décisive : Agnès découvre l'............... et se révèle capable de .... et d'utiliser un langage............... .

Les citations

Rendez à chaque citation son auteur :

Arnolphe – Chrysalde – Agnès – Horace – Alain – le notaire.

1. « Qui rit d'autrui / Doit craindre qu'en revanche on rie aussi de lui. »

2. « Je suis maître, je parle : allez, obéissez. »

3. « Quelque chien enragé l'a mordu, je m'assure. »

4. « Vois ce regard mourant, contemple ma personne, / Et quitte ce morveux et l'amour qu'il te donne. »

5. « Vos chemises de nuit et vos coiffes sont faites. »

6. « Le mariage, Agnès, n'est pas un badinage. / À d'austères devoirs le rang de femme engage. »

7. « À ne rien vous cacher de la vérité pure, / J'ai d'amour en ce lieu eu certaine aventure. »

8. « Épouser une sotte est pour n'être point sot. »

9. « L'amour sait-il pas l'art d'aiguiser les esprits ? / Et peut-on me nier que ses flammes puissantes / Ne fassent dans un cœur des choses étonnantes ? »

10. « J'admire quelle joie on goûte à tout cela, / Et je ne savais point encor ces choses-là. »

11. « Un air tout engageant, je ne sais quoi de tendre / Dont il n'est point de cœur qui se puisse défendre. »

12. « Sais-je pas qu'étant joints on est par la coutume / Communs en meubles, biens, immeubles et conquets, / À moins que par un acte on y renonce exprès ? »

13. « Éloignement fatal ! Voyage malheureux ! »

14. « Mettez-vous dans l'esprit qu'on peut du cocuage / Se faire en galant homme une plus douce image, / Que, des coups du hasard aucun n'étant garant, / Cet accident de soi doit être indifférent. »

15. « S'il entre jamais, je veux jamais ne boire. »

16. « Le petit chat est mort. »

17. « Et c'est assez pour elle, à vous en bien parler, / De savoir prier Dieu, m'aimer, coudre et filer. »

18. « Oh ! ... Oh ! que j'ai souffert durant cet entretien ! »

19. « La femme est en effet le potage de l'homme. »

Le langage du théâtre

Reliez les mots à leur définition :

Exposition •

Tragédie •

Réplique •

Dénouement •

Aparté •

Didascalie •

Alexandrin •

Comédie •

Monologue •

Tirade •

Coup de théâtre •

• Parole prononcée par un personnage.

• Méprise qui consiste à prendre une personne ou une chose pour une autre.

• Phrase brève énonçant une vérité générale.

• Qualité de ce qui est vraisemblable, c'est-à-dire conforme à ce que l'on pense possible dans la réalité.

• Réécriture d'un texte par un autre auteur qui en modifie l'intention et la portée, dans une visée le plus souvent critique ou railleuse.

• Pièce de théâtre dont le dénouement est malheureux, et qui met en scène des personnages de haute condition.

• Événement inattendu qui vient transformer complètement la situation.

• Dernière partie de la pièce, qui comprend l'élimination du dernier obstacle.

• Longue réplique ininterrompue d'un personnage, qui comporte une unité thématique.

• Paroles prononcées à part, pour ne pas que les autres personnages présents les entendent.

• Début d'une pièce de théâtre, dans lequel le spectateur reçoit toutes les informations nécessaires à sa bonne compréhension de la pièce.

Péripétie •   • Au théâtre, incidents qui surviennent au cours de l'intrigue et en renversent le sens.

Vraisemblance •   • Pièce de théâtre dont le dénouement est heureux (le plus souvent un mariage), et qui met en scène des personnages de condition basse et/ou (le plus souvent) des bourgeois.

Entracte •   • Intervalle de temps entre deux actes, pendant lequel peuvent survenir des événements.

Quiproquo •   • Toute partie du texte théâtral par laquelle l'auteur donne des indications sur la mise en scène.

Maxime •   • Vers de douze syllabes, comportant une coupe régulière à l'hémistiche (6-6).

Parodie •   • Scène où un personnage seul ou se croyant seul exprime à haute voix ses pensées et ses sentiments.

Barbon •   • Personnage comique traditionnel de vieil homme antipathique.

Jeune premier/ère •   • Personnage comique traditionnel de jeune homme ou de jeune fille sympathique, pour lequel le spectateur tend à prendre parti.

Préface •   • Texte placé par l'auteur en tête de son livre.

 En savoir plus sur : **www.petitsclassiqueslarousse.com**

POUR
APPROFONDIR

Thèmes et prolongements

❖ Entre comique et tragique : le personnage d'Arnolphe

> L'importance revêtue par le personnage d'Arnolphe dans l'intrigue aboutit à faire de l'interprétation qu'on donne de ce personnage l'enjeu principal de la pièce. Or, cette interprétation a beaucoup varié.

Arnolphe, un bouffon ridicule ?

D'une part, un jeu comique, faisant d'Arnolphe le barbon traditionnel de la farce ; d'autre part, un jeu plus tourmenté et plus douloureux, montrant Arnolphe comme un homme déchiré, désespéré. Le premier type d'interprétation peut apparaître comme le plus autorisé, dans la mesure où on sait que Molière lui-même tirait le personnage d'Arnolphe vers la caricature, en jouant des roulements d'yeux, des grimaces grotesques et des soupirs exagérés. De multiples indices, au sein du texte lui-même, traduisent le côté farcesque du personnage : son nom, hérité du saint patron des maris cocus, son obsession ridicule du cocuage et sa situation, comique par excellence, d'« arroseur arrosé » ; les jugements des autres personnages, qui voient en lui un « ridicule », un « homme bizarre », « jaloux à faire rire » ; son langage à la fois grossier et archaïque ; les situations grotesques où il se met lui-même, enfermé hors de chez lui ou engagé avec son notaire dans un dialogue de sourds.

Arnolphe, un personnage tragique ?

Cependant, depuis l'époque romantique surtout, un autre type de jeu vise à mettre en lumière ce que le personnage comporte de touchant, de pathétique, voire de tragique. Or cette interprétation ne saurait se réduire à un simple contresens : l'oscillation entre comique et tragique est bien au cœur du théâtre de Molière et de sa profonde ambivalence, et elle prend dans *L'École des femmes* un relief tout particulier. Elle fut du reste perçue dès les premières représentations, puisqu'en 1663 le journaliste Robinet reproche à la pièce de sortir de l'univers comique en raison de l'intensité qu'atteignent au cinquième acte la passion et la douleur d'Arnolphe : selon lui, devant des sentiments d'une telle violence, « on ne sait si l'on doit rire ou pleurer » *(Panégyrique de l'École des femmes)*. Bien plus tard, au XIXe siècle, les romantiques défendent un point de vue comparable, et l'écrivain Théophile Gautier commente en ces termes l'interprétation sombre et pathétique d'Arnolphe par l'acteur Provost : « Le public a senti à merveille la nuance délicate ; il a trouvé presque pathétique ce qui lui avait toujours semblé grotesque, et peu s'en est fallu qu'on ne pleurât à la scène de jalousie ». Plusieurs traits du personnage d'Arnolphe résistent en effet à une interprétation purement grotesque : la générosité qu'il manifeste spontanément envers Horace, sa souffrance amoureuse bien réelle, sa capacité à se dépouiller devant Agnès de tout orgueil, etc. Du reste, il est loin de présenter tous les traits du barbon de comédie, vieillard amoureux souvent disqualifié par son âge et par son physique désavantageux. Certes, il est beaucoup plus âgé qu'Agnès, mais cet âge n'est jamais moqué en tant que tel, et pour cause : Molière, qui venait d'épouser la jeune Armande Béjart, aurait été mal placé pour tourner en dérision la différence d'âge qui sépare Arnolphe d'Agnès !

Ce que dit la dualité du personnage d'Arnolphe, c'est que nul individu n'est fait d'une seule pièce, et que tout homme peut être « ridicule en de certaines choses et honnête homme en d'autres » *(Critique de l'École des femmes*, VI). Elle correspond également à une évolution du personnage qui pourrait bien constituer, en elle-même, le cœur de l'intrigue : ce que met en scène *L'École des femmes*, c'est la manière dont un homme tyrannique, sûr de lui et rempli de préjugés, sous l'effet d'un sentiment qu'il éprouve manifestement pour la première fois, se transforme en un être désespéré, désemparé et ridicule.

Pour approfondir

✤ Le personnage d'Agnès, de la soumission à l'éveil de soi

Plus rarement présente qu'Arnolphe (elle ne prononce que 150 vers tout au plus), Agnès représente pourtant l'autre personnage principal de la pièce, dont l'interprétation, là encore, conditionne le sens donné à la pièce tout entière. Elle apparaît à bien des égards comme le double d'Arnolphe en négatif.

Le triomphe d'Agnès

Le personnage d'Agnès suit un mouvement inverse de celui d'Arnolphe : alors que ce dernier passe du triomphe verbal au silence du désespoir (c'est le « oh ! » final, vers 1764), Agnès passe du silence de la soumission à la tranquille affirmation de sa volonté propre : « Je veux rester ici. » (vers 1726). Alors qu'Arnolphe aurait voulu qu'elle ne sache même pas lire et écrire, elle se montre capable d'élaborer des stratagèmes, et de rédiger pour Horace une authentique et délicate lettre d'amour. Alors qu'elle avait été maintenue dans la plus stricte ignorance des réalités sexuelles (voir vers 159-164), la voici qui découvre à la fois le désir et le plaisir. On a même pu aller jusqu'à voir en Agnès une sorte de « bon sauvage » qui annoncerait la pensée d'un Rousseau, ou encore un objet d'expérimentation virtuel, qui montrerait ce que devient, selon Molière, une jeune fille tenue dans l'ignorance absolue de tout ce qui fait la vie (le savoir aussi bien que l'amour) : elle serait alors la traduction théâtrale d'une nature conçue comme « table rase », comme ce qui reste de l'homme (ou, en l'occurrence, de la femme) lorsqu'on ôte tout ce qui relève de la culture. Ce que mettrait alors en scène Molière à travers le personnage d'Agnès, ce serait l'idée d'une nature indifférente au bien et au mal, mais spontanément portée à la compassion – car c'est bien sous forme de pitié que naît d'abord l'amour d'Agnès pour Horace (vers 539-542). Agnès incarnerait donc une nature vierge face à l'ordre social et moral représenté par Arnolphe.

L'ambivalence du personnage d'Agnès

Pourtant, le personnage d'Arnolphe et celui d'Agnès présentent un important point commun : leur ambiguïté. En effet, comme les interprétations d'Arnolphe, celles d'Agnès peuvent se répartir en deux grandes tendances. D'une part, on a vu dans Agnès l'incarnation de la pureté et de l'innocence, dont la naïveté peut aller jusqu'à la sottise. D'autre part, on a pu au contraire mettre en valeur ce qu'il y a de fougueux dans ce caractère s'affirmant progressivement au cours des cinq actes : Agnès serait alors l'incarnation d'une force vitale qui s'épanouirait au cours de la pièce et se définirait moins par ce qu'elle n'est pas (savante, méchante, voire consciente d'elle-même) que par ce qu'elle est : une jeune fille pleine de malice et de sensualité, trop longtemps maintenue dans un état de quasi-esclavage, et qui découvre soudain l'énergie qu'elle porte en elle. Le mystère qui entoure ce personnage est d'autant plus grand qu'Agnès est le plus souvent absente de la scène. Il est donc tentant, pour les metteurs en scène, de faire d'Agnès l'incarnation de la condition féminine opprimée par un ordre social conçu par et pour les hommes, ou encore celle de cet âge singulier et si rarement évoqué au XVIIe siècle : l'adolescence, moment de toutes les transformations et de toutes les découvertes affectives et sexuelles. Car Agnès ne découvre pas seulement l'amour : elle découvre également le désir amoureux (vers 605-606)), qu'elle décrit comme un « plaisir » (vers 1527), celui de se laisser « baiser les bras et chatouiller le cœur ». Sur un plan plus philosophique, on a pu lire également le triomphe d'Agnès comme celui de la nature et du plaisir, face aux lois de la morale traditionnelle et de la société bourgeoise : dans cette perspective, le développement rapide de l'intelligence et de la sensualité d'Agnès iraient de pair, Molière prenant parti contre la vision binaire de l'homme défendue par Descartes, qui séparait radicalement l'âme et le corps.

Pour approfondir

✥ Le comique

Dès les premières représentations, *L'École des femmes* a été un triomphe comique. Et de fait, les procédés comiques abondent, et jouent sur des ressorts très variés.

La diversité des procédés comiques

Les procédés comiques employés par Molière sont extrêmement divers : le thème central du cocuage, d'abord, directement hérité de la farce ; l'inversion éminemment comique, qui prend le personnage à son propre piège ; le comique de caractère, qui fait par exemple d'Arnolphe et de son obsession pathologique du cocuage un personnage en lui-même ridicule ; les jeux de mots grivois, hérités de la farce et des plaisanteries populaires ; la parodie du style tragique, notamment à travers la reprise de vers empruntés à Corneille (voir par exemple le vers 642) ; la satire sociale, enfin, qui vise aussi bien les maris complaisants que les femmes volages, les intellectuelles que les « damoiseaux » (III, 1), etc.

Plus subtilement, deux types de comique peuvent se combiner : par exemple, c'est parfois du comique de caractère (par exemple la naïveté d'Agnès ou celle d'Horace, qui accorde trop rapidement sa confiance à un homme qu'il connaît à peine) que naît un autre type de comique, le comique de répétition, ainsi lorsque Horace, à maintes reprises, se confie à Arnolphe sans comprendre à qui il a affaire.

Souplesse et rigidité

Or ce qui fonde le comique de répétition, mais aussi, plus largement, de nombreux procédés comiques employés dans la pièce, c'est le ridicule d'une inadaptation à la souplesse de la vie. Dans un petit ouvrage célèbre, Bergson a pu en effet définir le comique comme « du mécanique plaqué sur du vivant » : c'est bien ce qui arrive dans *L'École des femmes*, où Arnolphe, hanté par son idée fixe, ne parvient pas à s'adapter à des circonstances imprévues, où Horace, ne son-

Pour approfondir

geant qu'à son amour naissant, ne prend jamais conscience qu'il parle à son ennemi lui-même, et où Agnès, qui n'a jamais appris à exercer son intelligence, est d'abord incapable de comprendre les sous-entendus d'Arnolphe ou de la vieille entremetteuse. Le dialogue de sourds qui oppose Arnolphe au notaire, débitant ses distinctions pédantes sur un ton solennel, est emblématique de la manière dont le comique naît de la rigidité. Cependant, Agnès, se montrant soudain capable de progrès fulgurants et surmontant les obstacles avec une intelligence insoupçonnée, finit par sortir de la sphère comique en manifestant une capacité d'adaptation hors du commun.

L'héritage de la comédie italienne : les valets Alain et Georgette

D'autres personnages, en revanche, possèdent un rôle exclusivement comique : ce sont notamment les valets, personnages comiques hérités (comme du reste le personnage du jeune premier qu'est Horace) de la tradition italienne. Dans *L'École des femmes*, il ne s'agit pas de valets intrigants et rusés tels que Scapin, mais bien plutôt des valets lourdauds comme le Covielle du *Bourgeois gentilhomme*, incapables de prononcer certains termes correctement et n'hésitant pas à désigner par des métaphores triviales les réalités sexuelles. L'originalité est ici dans le pluriel : le valet Alain est en effet accompagné de son double féminin, Georgette. Comme la naïveté d'Agnès, la balourdise des valets se retourne contre Arnolphe. Cependant, leur fonction est également chorégraphique : à plusieurs reprises, comme dans la scène I, 2, la symétrie de leurs paroles et de leurs gestes semble composer une sorte de ballet burlesque, qui pourrait faire penser au personnage de Charlot dans les films de Charlie Chaplin. Au mouvement lent et majestueux de la tragédie s'oppose alors le rythme trépidant de la comédie.

Pour approfondir

✤ Un comique controversé : la querelle de *L'École des femmes*

Les attaques portées contre les types de comique utilisés par Molière ont été à la mesure de son triomphe. Le parti dévot, en particulier, hostile, par principe, au théâtre et partisan d'une conception rigoureuse de la morale religieuse, a violemment attaqué certains des ressorts comiques majeurs de la pièce, en particulier les sous-entendus à connotation sexuelle et le thème central du cocuage.

Les ennemis de Molière

Le succès de Molière et le soutien royal dont il bénéficie lui attirent bien des jalousies, et ses ennemis se liguent contre lui. Nombreux sont ceux qui ont en effet des raisons d'attaquer Molière : les critiques littéraires, qui constatent avec indignation que des pièces ne respectant pas les règles qu'ils édictaient pour le théâtre rencontrent néanmoins un large succès ; les acteurs de tragédie (la troupe de l'Hôtel de Bourgogne), qui voient en Molière un rival dangereux ; les partisans d'un certain catholicisme traditionnel (et notamment les membres d'une association dévote, la Compagnie du Saint-Sacrement), outrés que Molière s'attaque à l'ordre moral et religieux bourgeois. La scène du ruban (II, 5), dont le comique repose essentiellement sur un sous-entendu d'ordre sexuel, choque tout particulièrement ce dernier public.

La réponse de Molière : *La Critique de L'École des femmes* et la suite de la querelle

La réponse de Molière ne se fait pas attendre, et il choisit de la faire entendre sur la scène elle-même. Le 1er juin 1663, à la suite de *L'École des femmes*, il donne une comédie polémique en prose intitulée *La Critique de l'École des femmes*, dans laquelle il développe sa conception de la comédie et ridiculise ses ennemis. Ceux-ci contre-attaquent et n'hésitent pas à mettre en cause la vie privée de Molière (en l'occurrence, son mariage avec Armande Béjart, dont on feint de croire qu'elle est non seulement la fille de l'ancienne maîtresse de Molière, mais la fille de Molière lui-même, ce qui ferait de leur mariage une union incestueuse). Molière réplique aussitôt en composant et en mettant en scène, sur ordre du roi et devant lui, *L'Impromptu de Versailles*, pièce en prose où il expose ses choix en matière de mise en scène et où il accuse ses adversaires de déloyauté.

Les thèses de Molière : une nouvelle conception de la comédie, peinture « d'après nature »

Dans *La Critique de l'École des femmes*, Molière définit la comédie comme une peinture « d'après nature » dans laquelle les spectateurs doivent pouvoir se reconnaître, et dont « la grande règle de toutes les règles » (l. 108) est « de plaire » (l. 292-293) : Molière souhaite ainsi redonner tout son prestige à la comédie, trop longtemps tenue pour inférieure à la tragédie. Loin d'être une caricature facile, la comédie ainsi conçue se veut une représentation fidèle de la nature humaine, en elle-même ridicule.

Dans *L'Impromptu de Versailles*, Molière fixe une sorte d'éthique de la satire : il faut, selon lui, « peindre les mœurs sans toucher aux personnes » (scène 4), c'est-à-dire attaquer les vices généraux en évitant toute attaque personnelle. Dès la première scène, il définit également un art dramaturgique : le comédien doit « imiter d'après nature », c'est-à-dire « bien prendre le caractère de son rôle, et se figurer qu'il est ce qu'il représente ». Il doit en outre déclamer ses répliques « le plus naturellement » et « non avec emphase ». Ces conseils annoncent à bien des égards l'art dramatique moderne.

Pour approfondir

Textes et images

✥ La représentation de l'amour

Pour Molière, « l'école des femmes », ou en tout cas celle d'Agnès, c'est l'amour. Or l'amour, sous ses multiples formes, est au centre d'innombrables œuvres d'art. Comment les artistes ont-il pu représenter l'amour, sentiment souvent défini comme unique ou insaisissable ?

Documents :

❶ Racine, *Phèdre*.

❷ Marivaux, *La Vie de Marianne*.

❸ Flaubert, *L'Éducation sentimentale*.

❹ Prévost, *Manon Lescaut : « J'avais marqué le temps de mon départ d'Amiens... »*.

❺ Tourgueniev, *Premier Amour*.

❻ *« La Cathédrale »*, sculpture d'Auguste Rodin, 1908.

❼ Aragon, *Aurélien*.

❽ *A Charlie Brown Valentine*, dessin de Charles M. Schulz, 2002.

❶ [Phèdre, dont la famille est porteuse d'une malédiction, est tombée passionnément amoureuse d'Hippolyte, son beau-fils, et avoue ce sentiment à sa servante Oenone.]
Mon mal vient de plus loin. À peine au fils d'Égée[1]
Sous les lois de l'hymen je m'étais engagée,
Mon repos, mon bonheur semblait être affermi,
Athènes me montra mon superbe ennemi.
Je le vis, je rougis, je pâlis à sa vue ;
Un trouble s'éleva dans mon âme éperdue ;
Mes yeux ne voyaient plus, je ne pouvais parler ;

---

1. Thésée, l'époux de Phèdre et le père d'Hippolyte.

Je sentis tout mon corps et transir[1] et brûler ;
Je reconnus Vénus et ses feux redoutables,
D'un sang qu'elle poursuit tourments inévitables
Par des vœux assidus je crus les détourner :
Je lui bâtis un temple, et pris soin de l'orner ;
De victimes moi-même à toute heure entourée,
Je cherchais dans leurs flancs ma raison égarée.
D'un incurable amour remèdes impuissants !
En vain sur les autels ma main brûlait l'encens :
Quand ma bouche implorait le nom de la Déesse,
J'adorais Hippolyte ; et le voyant sans cesse,
Même au pied des autels que je faisais fumer,
J'offrais tout à ce Dieu que je n'osais nommer.
Je l'évitais partout. Ô comble de misère !
Mes yeux le retrouvaient dans les traits de son père.

Racine, *Phèdre*, I, 3 (1677).

2 [Marianne est une jeune fille pauvre, qui cherche à s'élever dans la société par sa vertu et sa beauté. Dans le passage qui suit, elle se trouve à l'église et observe l'assistance et l'effet qu'elle y produit.] Parmi les jeunes gens dont j'attirais les regards, il y en eut un que je distinguai moi-même, et sur qui mes yeux tombaient plus volontiers que sur les autres. J'aimais à le voir, sans me douter du plaisir que j'y trouvais ; j'étais coquette pour les autres, et je ne l'étais pas pour lui ; j'oubliais à lui plaire, et ne songeais qu'à le regarder. Apparemment que l'amour, la première fois qu'on en prend, commence avec cette bonne foi-là, et peut-être que la douceur d'aimer interrompt le soin d'être aimable. Ce jeune homme, à son tour, m'examinait d'une façon toute différente de celle des autres : il y avait quelque chose de plus sérieux qui se passait entre lui et moi. Les autres applaudissaient ouvertement à mes charmes, il me semblait que celui-ci les sentait ; du moins je le soupçonnais quelquefois, mais si confusément, que

---

1. Être saisi de froid.

je n'aurais pu dire ce que je pensais de lui, non plus que ce que je pensais de moi. Tout ce que je sais, c'est que ses regards m'embarrassaient, que j'hésitais de les lui rendre, et que je les lui rendais toujours ; que je ne voulais pas qu'il me vît y répondre, et que je n'étais pas fâchée qu'il l'eût vu. Enfin on sortit de l'église, et je me souviens que j'en sortis lentement, que je retardais mes pas ; que je regrettais la place que je quittais ; et que je m'en allais avec un cœur à qui il manquait quelque chose, et qui ne savait pas ce que c'était. Je dis qu'il ne le savait pas ; c'est peut-être trop dire, car, en m'en allant, je retournais souvent la tête pour revoir encore le jeune homme que je laissais derrière moi ; mais je ne croyais pas me retourner pour lui.

Marivaux, *La Vie de Marianne* (1731-1741).

3 [Le narrateur, Des Grieux, jeune aristocrate de dix-sept ans, vient d'achever ses études à Amiens. Promis à un brillant avenir, il s'apprête à regagner la maison paternelle.]

J'avais marqué le temps de mon départ d'Amiens. Hélas ! que ne le marquais-je un jour plus tôt ! J'aurais porté chez mon père toute mon innocence. La veille même de celui que je devais quitter cette ville, étant à me promener avec mon ami, qui s'appelait Tiberge, nous vîmes arriver le coche d'Arras, et nous le suivîmes jusqu'à l'hôtellerie où ces voitures descendent. Nous n'avions pas d'autre motif que la curiosité. Il en sortit quelques femmes, qui se retirèrent aussitôt. Mais il en resta une, fort jeune, qui s'arrêta seule dans la cour, pendant qu'un homme d'un âge avancé, qui paraissait lui servir de conducteur, s'empressait pour faire tirer son équipage des paniers.

Elle me parut si charmante que moi, qui n'avais jamais pensé à la différence des sexes ni regardé une fille avec un peu d'attention, moi dis-je, dont tout le monde admirait la sagesse et la retenue, je me trouvai enflammé tout d'un coup jusqu'au transport. J'avais le défaut d'être excessivement timide et facile à déconcerter ; mais loin d'être arrêté alors par cette faiblesse, je m'avançai vers la maîtresse de mon cœur. Quoiqu'elle fût encore moins âgée que moi, elle reçut mes politesses sans paraître embarrassée. Je lui demandai ce qui l'amenait à Amiens et si elle y avait quelques personnes de connaissance. Elle me répondit ingénument qu'elle y était envoyée par ses parents pour être religieuse. L'amour me rendait déjà si éclairé, depuis un moment qu'il était dans mon cœur, que je regardai ce dessein comme un coup mortel pour mes désirs. Je lui parlai d'une manière qui lui fit comprendre mes sentiments, car elle était bien plus expérimentée que moi. C'était malgré elle qu'on l'envoyait au couvent, pour arrêter sans doute son penchant au plaisir, qui s'était déjà déclaré et qui a causé, dans la suite, tous ses malheurs et les miens. Je combattis la cruelle intention de ses parents par toutes les raisons que mon amour naissant et mon éloquence scolastique purent me suggérer. Elle n'affecta ni rigueur ni dédain. Elle me dit, après un moment de silence, qu'elle ne prévoyait que trop qu'elle allait être malheureuse, mais que c'était apparemment la volonté du ciel, puisqu'il ne lui laissait nul moyen de l'éviter. La douceur de ses regards, un air charmant de tristesse en prononçant ces paroles, ou plutôt, l'ascendant de ma destinée qui m'entraînait à ma perte, ne me permirent point de balancer un moment sur ma réponse. Je l'assurai que, si elle voulait faire quelque fond sur mon honneur et sur la tendresse infinie qu'elle m'inspirait déjà, j'emploierais ma vie pour la délivrer de la tyrannie de ses parents et pour la rendre heureuse. Je me suis étonné mille fois, en y réfléchissant, d'où me venait alors tant de hardiesse et de facilité à m'exprimer ; mais on ne ferait pas une divinité de l'amour, s'il n'opérait souvent des prodiges.

Abbé Prévost, *Manon Lescaut* (1731).

4 [Le jeune narrateur, Frédéric, rencontre Marie Arnoux, dont il tombe éperdument amoureux.]

Ce fut comme une apparition : elle était assise, au milieu du banc, toute seule, ou du moins il ne distingua personne, dans l'éblouissement que lui envoyèrent ses yeux. En même temps qu'il passait, elle leva la tête ; il fléchit involontairement les épaules ; et, quand il se fut mis plus loin, du même côté, il la regarda.

Pour approfondir

Textes et images

Elle avait un large chapeau de paille, avec des rubans roses qui pal-
pitaient au vent, derrière elle. Ses bandeaux noirs, contournant la
pointe de ses grands sourcils, descendaient très bas et semblaient
presser amoureusement l'ovale de sa figure. Sa robe de mousseline
claire, tachetée de petits pois, se répandaient à plis nombreux. Elle
était en train de broder quelque chose ; et son nez droit, son menton, toute sa personne se découpait sur le fond de l'air bleu.

Comme elle gardait la même attitude, il fit plusieurs tours de droite
et de gauche pour dissimuler sa manœuvre ; puis il se planta tout
près de son ombrelle, posée sur le banc, et il affectait d'observer
une chaloupe sur la rivière.

Jamais il n'avait vu cette splendeur de sa peau brune, la séduction
de sa taille, ni cette finesse des doigts que la lumière traversait. Il
considérait son panier à ouvrage avec ébahissement, comme une
chose extraordinaire. Quels étaient son nom, sa demeure, sa vie, son
passé ? Il souhaitait connaître les meubles de sa chambre, toutes les
robes qu'elle avait portées, les gens qu'elle fréquentait ; et le désir
de la possession physique même disparaissait sous une envie plus
profonde, dans une curiosité douloureuse qui n'avait pas de limites.

Gustave Flaubert, *L'Éducation sentimentale* (1869).

5 [Le narrateur Vladimir, qui vit en Russie au temps des Tsars, évoque son premier amour.]

À quelques pas, sur une pelouse entourée de framboisiers verts, se
tenait une grande et svelte jeune fille, vêtue d'une robe rose rayée
et la tête couverte d'un petit fichu blanc ; autour d'elle se pressaient
quatre jeunes gens et elle leur frappait le front à tour de rôle avec ces
petites fleurs grises dont je ne sais pas le nom, mais que les enfants
connaissent bien : elles forment de petits sacs et éclatent avec bruit
sur quelque chose de dur. Les jeunes gens présentaient leur front
avec tant de complaisance, dans les mouvements de la jeune fille (je
la voyais de profil) il y avait quelque chose de tellement enchanteur,
autoritaire, caressant, ironique et charmant que je faillis pousser un
cri de surprise et de plaisir que, semble-t-il, j'aurais à l'instant tout

donné au monde pour que ces charmants petits doigts me frappent aussi sur le front. Mon fusil avait glissé dans l'herbe, j'avais tout oublié et je dévorais du regard cette taille svelte, et ce cou mince, et ces jolis bras, et ces cheveux blonds, légèrement ébouriffés, sous le petit fichu blanc, et cet œil intelligent à demi-clos, et ces cils, et cette tendre joue au-dessous...

Tourgueniev. *Premier Amour* (1860), trad. M.-R. Hofmann, Librio, 2004.

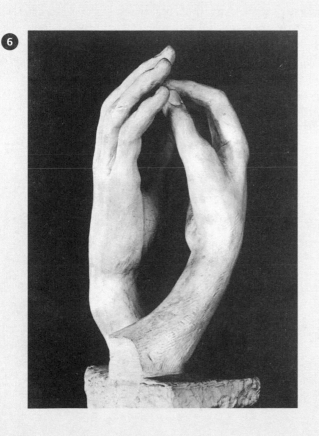

Textes et images

7 [Le narrateur raconte sa rencontre avec celle qui deviendra son grand amour.]

La première fois qu'Aurélien vit Bérénice, il la trouva franchement laide. Elle lui déplut, enfin. Il n'aima pas comment elle était habillée. Une étoffe qu'il n'aurait pas choisie. Il avait des idées sur les étoffes. Une étoffe qu'il avait vue sur plusieurs autres femmes. Cela lui fit mal augurer de celle-ci qui portait un nom de princesse d'Orient sans avoir l'air de se considérer dans l'obligation d'avoir du goût. Ses cheveux étaient ternes, ce jour-là, mal tenus. Les cheveux coupés, ça demande des soins constants. Aurélien n'aurait pas pu dire si elle était blonde ou brune, il l'avait mal regardée. Il lui en demeurait une impression vague, générale, d'ennui et d'irritation. Il se demanda même pourquoi. C'était disproportionné. Plutôt petite, pâle, je crois... Qu'elle se fut appelée Jeanne ou Marie, il n'y aurait pas repensé, après coup. Mais Bérénice. Drôle de superstition. Voilà bien ce qui l'irritait.

Aragon, Aurélien (1944), Folio, 1989.

8

❖ Étude des textes

Savoir lire

1. Qui raconte l'histoire dans chacun des textes ?
2. Relevez dans les textes proposés les termes appartenant au champ lexical du regard.
3. En quoi le texte d'Aragon s'oppose-t-il aux autres ?
4. Quels sont les textes qui présentent l'amour comme une passion funeste, liée à la fatalité et au destin ?

Savoir faire

5. Aurélien ne cesse de penser à Bérénice et écrit à un ami pour lui faire part de cet étrange sentiment ; rédigez sa lettre.
6. Racontez un coup de foudre, du point de vue de celui ou de celle qui le ressent : circonstances, description de l'être aimé, etc.
7. Rédigez la suite du texte de Prévost.

❖ Étude des images

Savoir analyser

1. Charlie Brown tient une carte de Saint-Valentin. Pourquoi la lettre a-t-elle toujours été un moyen privilégié de déclarer son amour ?
2. Quel(s) sentiment(s) Rodin a-t-il cherché à exprimer à travers cette sculpture ?
3. Comment expliquez vous le titre donné par Rodin à sa sculpture (« La cathédrale ») ?

Savoir faire

4. Imaginez ce qui est écrit au dos de la carte de Saint-Valentin que Charlie Brown tient dans sa main.
5. Charlie Brown demande conseil à Snoopy pour écrire sa carte de Saint-Valentin ; rédigez leur dialogue.
6. Rédigez une description de la sculpture de Rodin : sa forme générale, ce qu'elle vous inspire, les détails qui vous touchent, etc.

Pour approfondir

✥ L'éducation des femmes

Contemporain du développement de la préciosité en France, Molière se montre particulièrement sensible à une question fondamentale, qui sera ardemment débattue au cours des siècles suivants : celle de l'éducation des femmes.

Documents :

❶ Molière, *Les Femmes savantes*.

❷ Poulain de la Barre, *De l'égalité des deux sexes*.

❸ La Bruyère, *Les Caractères*.

❹ Fénelon, *Traité de l'éducation des filles*.

❺ Voltaire, *Femmes, soyez soumises à vos maris*.

❻ O. Borrani, *L'Analphabète*, 1869.

❼ Jacques Le Grand, *L'Éducation des enfants* (enluminure), XVe.

❽ G. Armstrong, *Les Quatre Filles du docteur March*, 1994.

❾ Affiche de l'École de jeunes filles de la Ville de Paris, vers 1930.

❶ [Chrysale, époux de Philaminte, frère de Bélise et père d'Armante, est entouré de « femmes savantes » et exprime son désaccord.]
Vos livres éternels ne me contentent pas,
Et hors un gros Plutarque à mettre mes rabats,
Vous devriez brûler tout ce meuble inutile,
Et laisser la science aux docteurs de la ville ;
M'ôter, pour faire bien, du grenier de céans
Cette longue lunette à faire peur aux gens,
Et cent brimborions[1] dont l'aspect importune ;
Ne point aller chercher ce qu'on fait dans la lune,
Et vous mêler un peu de ce qu'on fait chez vous,

1. babioles.

Où nous voyons aller tout sens dessus dessous.
Il n'est pas bien honnête, et pour beaucoup de causes,
Qu'une femme étudie et sache tant de choses.
Former aux bonnes mœurs l'esprit de ses enfants,
Faire aller son ménage, avoir l'œil sur ses gens,
Et régler la dépense avec économie,
Doit être son étude et sa philosophie.

Molière, *Les Femmes savantes*, II, 7.

2 [Les femmes] ne sont pas moins capables que nous de la vérité et de l'étude. Et si l'on trouve à présent en quelques-unes quelque défaut, ou quelque obstacle [...] cela doit être rejeté uniquement sur l'état extérieur de leur Sexe, et sur l'éducation qu'on leur donne, qui comprend[1] l'ignorance où on les laisse, les préjugés ou les erreurs qu'on leur inspire, l'exemple qu'elles ont de leurs semblables, et toutes les manières à quoi la bienséance, la contrainte, la retenue, la sujétion et la timidité les réduisent.

F. Poulain de la Barre, *De l'égalité des deux sexes* (1673).

3 Pourquoi s'en prendre aux hommes de ce que les femmes ne sont pas savantes ? Par quelles lois, par quels édits, par quels rescrits leur a-t-on défendu d'ouvrir les yeux et de lire, de retenir ce qu'elles ont lu, et d'en rendre compte ou dans leur conversation ou par leurs ouvrages ? Ne se sont-elles pas au contraire établies elles-mêmes dans cet usage de ne rien savoir, ou par la faiblesse de leur complexion, ou par la paresse de leur esprit ou par le soin de leur beauté, ou par une certaine légèreté qui les empêche de suivre une longue étude, ou par le talent et le génie qu'elles ont seulement pour les ouvrages de la main, ou par les distractions que donnent les détails d'un domestique, ou par un éloignement naturel des choses pénibles et sérieuses, ou par une curiosité toute différente de celle qui contente l'esprit, ou par un tout autre goût que celui d'exercer leur mémoire ?

Pour approfondir

---

1. inclut.

Mais à quelque cause que les hommes puissent devoir cette ignorance des femmes, ils sont heureux que les femmes qui les dominent d'ailleurs par tant d'endroits, aient sur eux cet avantage de moins.

On regarde une femme savante comme on fait une belle arme : elle est ciselée artistement, d'une polissure admirable et d'un travail fort recherché ; c'est une pièce de cabinet, que l'on montre aux curieux, qui n'est pas d'usage, qui ne sert ni à la guerre ni à la chasse, non plus qu'un cheval de manège, quoique le mieux instruit du monde.

La Bruyère, Les Caractères (1688-1694), « Des femmes ».

4 Rien n'est plus négligé que l'éducation des filles. La coutume et le caprice des mères y décident souvent de tout : on suppose qu'on doit donner à ce sexe peu d'instruction. L'éducation des garçons passe pour une des principales affaires par rapport au bien public ; et quoiqu'on n'y fasse guère moins de fautes que dans celle des filles, du moins on est persuadé qu'il faut beaucoup de lumières pour y réussir. Les plus habiles gens se sont appliqués à donner des règles dans cette matière. Combien voit-on de maîtres et de collèges ! combien de dépenses pour des impressions de livres, pour des recherches de sciences, pour des méthodes d'apprendre les langues, pour le choix des professeurs ! Tous ces grands préparatifs ont souvent plus d'apparence que de solidité ; mais enfin ils marquent la haute idée qu'on a de l'éducation des garçons. Pour les filles, dit-on, il ne faut pas qu'elles soient savantes, la curiosité les rend vaines et précieuses ; il suffit qu'elles sachent gouverner un jour leurs ménages, et obéir à leurs maris sans raisonner. On ne manque pas de se servir de l'expérience qu'on a de beaucoup de femmes que la science a rendues ridicules : après quoi on se croit en droit d'abandonner aveuglément les filles à la conduite des mères ignorantes et indiscrètes.

[...]

Mais que s'ensuit-il de la faiblesse naturelle des femmes ? Plus elles sont faibles, plus il est important de les fortifier. N'ont-elles pas des devoirs à remplir, mais des devoirs qui sont les fondements de

Pour approfondir

toute la vie humaine ? Ne sont-ce pas les femmes qui ruinent ou qui soutiennent les maisons, qui règlent tout le détail des choses domestiques, et qui, par conséquent, décident de ce qui touche de plus près à tout le genre humain ? Par là, elles ont la principale part aux bonnes ou aux mauvaises mœurs de presque tout le monde. Une femme judicieuse, appliquée, et pleine de religion, est l'âme de toute une grande maison ; elle y met l'ordre pour les biens temporels et pour le salut. Les hommes mêmes, qui ont toute l'autorité en public, ne peuvent par leurs délibérations établir aucun bien effectif, si les femmes ne leur aident à l'exécuter.

Fénelon, *Traité de l'éducation des filles*, chapitre premier :
« De l'importance de l'éducation des filles », *Œuvres complètes*, Outhenin-Chalandre, 1851.

5 [La nature] nous a fait des organes différents de ceux des hommes ; mais en nous rendant nécessaires les uns aux autres, elle n'a pas prétendu que l'union formât un esclavage. Je me souviens bien que Molière a dit : Du côté de la barbe est la toute-puissance.
Mais voilà une plaisante raison pour que j'aie un maître ! Quoi! parce qu'un homme a le menton couvert d'un vilain poil rude, qu'il est obligé de tondre de fort près, et que mon menton est né rasé, il faudra que je lui obéisse très humblement ? Je sais bien qu'en général les hommes ont les muscles plus forts que les nôtres, et qu'ils peuvent donner un coup de poing mieux appliqué : j'ai bien peur que ce ne soit là l'origine de leur supériorité.

Voltaire, *Femmes, soyez soumises à vos maris* (1768), *Mélanges*, Gallimard, 1965-1968.

Pour approfondir

Textes et images

Pour approfondir

Pour approfondir

VILLE DE PARIS

ÉCOLE DE JEUNES FILLES (GRAT)
123 RUE DE PATAY (XIII°)

CLASSE DE
PRÉAPPRENTISSAGE

ORIENTATION PROFESSION™

POUR DEVENIR

OUVRIÈRE

EMPLOYÉE

COURS COMPLÉMENT™
MANUEL, MÉNAGER.
COMMERCIAL

FEMME FORTE ET GRACIEUSE

AIMABLE ET ÉCONOME MÉNAGÈRE

SURTOUT MÈRE ÉCLAIRÉE

VUES DE QUELQUES COURS

AGRES, CONFECTION,
ÉDUCATION PHYSIQUE
DACTYLOGRAPHIE, DESSIN
BLANCHISSAGE, CUISINE, ENTRETIEN
PUÉRICULTURE

164

✦ Étude des textes

Savoir lire

1. Qui sont les auteurs les plus favorables à l'éducation des femmes ?
2. Quels sont les arguments des partisans d'une éducation plus poussée pour les femmes ? Les arguments de leurs adversaires ?
3. Quelle sont les fonctions principales attribuées à la femme par la plupart des auteurs ?
4. En quoi le texte de Fénelon peut-il paraître ambigu ?

Savoir faire

5. Armande, fille de Chrysale, répond à son père et défend la cause des « femmes savantes » : rédigez sa tirade.
6. Rédigez un texte argumentatif qui répondrait au texte de La Bruyère.
7. Vous écrivez à Fénelon pour lui indiquer qu'aujourd'hui, en France, les filles reçoivent la même éducation que les garçons ; rédigez cette lettre.

✦ Étude des images

Savoir analyser

1. Expliquez et commentez l'enluminure de Jacques Le Grand.
2. Quelle est l'image de la femme qui transparaît à travers l'image tirée du film *Les Quatre Filles du docteur March* ?
3. Comment comprenez-vous le tableau de Borrani ? Qui sont les deux personnages en présence ? Que font-ils ?
4. Quelles sont les qualités que l'École de jeunes filles de la ville de Paris vise à inculquer à ses élèves ?

Savoir faire

5. Sur le modèle de l'enluminure de Jacques Le Grand, rédigez une description comparative du comportement des filles et de celui des garçons dans une cour de récréation.
6. Préparez une affiche représentant les valeurs et les qualités que l'école est censée transmettre aujourd'hui à tous les enfants, filles comme garçons.
7. Imaginez le dialogue qu'échangent les personnages représentés sur le tableau de Borrani.

Pour approfondir

Vers le brevet

Sujet 1 : *L'École des femmes*, acte I, scène 4, vers 311-332.

Questions

I- Le texte théâtral

1. À quoi reconnaissez-vous que cet extrait est tiré d'un texte de théâtre ?

2. Qu'est-ce qu'une didascalie ? Relevez les didascalies présentes dans ce passage.

3. Que signifie l'indication « à part » (vers 328 et 332) dans un texte de théâtre ? Quel est l'intérêt de ce procédé ?

4. Agnès est-elle présente dans cette scène ? En quoi est-elle tout de même au cœur de l'action ?

5. Comment interprétez-vous le « Ah ! » (vers 327) d'Arnolphe ? Si vous deviez interpréter le personnage d'Arnolphe, sur quel ton le prononceriez-vous ?

II- Les personnages

1. Le dialogue est-il également partagé entre les deux personnages ? Pourquoi ? Quel effet cela produit-il ?

2. À quel registre appartient le terme *astre* employé par Horace pour désigner Agnès (vers 326) ? Connaissez-vous d'autres termes appartenant au même registre ? Quel est l'effet produit par l'emploi de tels termes ? Horace emploie-t-il parfois des termes qui n'appartiennent pas à ce registre ? Que peut-on en déduire concernant ce personnage ?

3. À quel registre appartient l'expression « je crève ! » employée par Arnolphe (vers 327) ?

4. « Mes affaires y sont en fort bonne posture » (vers 316) : que veut dire Horace ? Exprimez la même idée en une phrase qui pourrait remplacer celle d'Horace.

166

5. Comment Horace décrit-il Agnès ? Quelles sont les qualités qu'il apprécie en elle ? En quoi ce portrait s'oppose-t-il à celui qu'Arnolphe avait fait d'Agnès auparavant ?

6. Comment Horace décrit-il Arnolphe ? Parle-t-il en son nom propre ? Quel est l'intérêt de ce procédé ?

III- Le malentendu

1. « Dans l'ignorance où l'on veut l'asservir » (vers 321) : quelle est la nature grammaticale du terme « on » ? Qui désigne-t-il ici ? Qui désigne-t-il au vers 327 (« C'est Agnès qu'on l'appelle ») ?

2. Que pouvez-vous en déduire concernant le fonctionnement de ce terme ?

3. À quel moment le spectateur a-t-il envie de rire ? Sur quoi repose le comique de ce passage ? Relevez différents procédés comiques, et nommez-les.

4. Que sait le spectateur ? Qu'ignore Horace ? Quel est l'effet produit ici par cette dissymétrie ? Pourquoi Horace ne comprend-il pas qu'il parle au tuteur d'Agnès lui-même ? Quel est l'élément mentionné ici qui rend possible ce malentendu ?

5. « Le connaissez-vous point ? » (vers 332) : pourquoi cette question est-elle comique ?

6. Expliquez l'expression imagée « La fâcheuse pilule » (vers 332). Connaissez-vous une expression similaire dans la langue française du XXIe siècle ?

Réécriture

« Je vous ai donc avoué avec pleine franchise
Qu'ici d'une beauté mon âme s'est éprise.
Mes petits soins d'abord ont eu tant de succès
Que je me suis chez elle ouvert un doux accès » (vers 311-314).

 Remplacez le passé composé « je vous ai avoué » par un plus-que-parfait, et faites dans la suite de ce court extrait toutes les modifications qui s'imposent.

Rédaction

Horace écrit à l'un de ses amis et lui décrit la femme dont il vient de tomber amoureux. Il en énumère les qualités et imagine combien il serait heureux avec elle.

– Vous rédigerez la lettre écrite par Horace à son ami tout en respectant les règles de présentation propres à ce type d'écrit.

– Vous emploierez un registre de langage qui correspond à celui d'Horace dans ce passage.

– Vous ferez appel au besoin à des images flatteuses.

– Il sera tenu compte dans l'évaluation de la correction de la langue et de l'orthographe.

Petite méthode pour la rédaction

Il s'agit de rédiger une lettre en s'inspirant du passage proposé, en l'occurrence un extrait de pièce de théâtre du XVIIᵉ siècle.

Vous devez donc tenir compte :

– des contraintes de présentation propres au genre de la lettre ;

– de la situation d'énonciation mise en place : qui parle, à qui, de quoi ? À quelle époque est-on ? Que sait le personnage qui écrit la lettre ? Au contraire, qu'ignore-t-il ?

– de ce qu'on peut savoir du caractère du personnage qui écrit la lettre ;

– du style et du registre de langue utilisés par le personnage qui écrit cette lettre (vous pourrez l'observer dans l'extrait proposé).

Sujet 2 : *L'École des femmes*, acte II, scène 3 (en entier).

Questions

I- Le dialogue de théâtre

1. Relevez les termes abstraits liés au domaine du sentiment. Comment Alain s'y prend-il pour expliquer à Georgette le terme abstrait de jalousie ? En quoi peut-on parler de démarche pédagogique ?

2. Montrez comment s'enchaînent les répliques qui constituent ce dialogue : questions/réponses, reprise de termes, de thèmes.

3. Qui mène le dialogue ? Pourquoi ?

4. Comment cette scène annonce-t-elle la suivante ? En quoi ce procédé crée-t-il un effet d'attente ? Que voudrait savoir le spectateur ?

5. Au cours de cette scène, le rythme est-il toujours le même ? Quand y a-t-il accélération ? Quand y a-t-il ralentissement ? Pourquoi ?

6. Montrez comment certains passages imitent le discours oral. Quel est l'intérêt de tels procédés ?

II- Les personnages

1. Qui sont Alain et Georgette ? En quoi le couple Georgette-Alain peut-il être considéré comme un double du couple Arnolphe-Agnès ? En quoi ces deux couples sont-ils cependant différents ?

2. Quels sentiments manifeste Georgette au début de la scène ? Quelle information sa réplique donne-t-elle sur le jeu de l'acteur interprétant Arnolphe dans la scène précédente ? Quelles informations nous donne-t-elle sur le caractère d'Arnolphe ?

3. Relevez dans les répliques d'Alain les marques de l'expression d'une vérité générale. En quoi ce type de discours rapproche-t-il Alain d'un professeur ?

169

4. Quel registre de langage emploient Georgette et Alain ? Pourquoi ? En quoi ce langage produit-il un contraste avec celui des autres personnages ?

III- Le comique

1. En quoi le vers « La femme est en effet le potage de l'homme » est-il comique ? En quoi ce comique se prolonge-t-il pendant toute la réplique d'Alain (vers 435-439) ?

2. Expliquez l'insistance d'Alain : « Entends-tu bien, Georgette... ». L'explication qu'il donne du comportement d'Arnolphe est-elle purement désintéressée ? Qu'essaie-t-il de faire comprendre, du même coup, à Georgette ?

3. En quoi l'expression « les biaux Monsieux » (vers 442) employée par Georgette est-elle comique ? En quoi l'ensemble de la réplique (vers 440-442) est-il comique ?

Réécriture

« C'est justement tout comme :
La femme est en effet le potage de l'homme,
Et quand un homme voit d'autres hommes parfois
Qui veulent dans sa soupe aller tremper leurs doigts,
Il en montre aussitôt une colère extrême. »

 Remplacez les verbes au présent par des verbes à l'imparfait de l'indicatif, puis par des verbes au futur de l'indicatif.

Rédaction

« Je m'en vais te bailler une comparaison,
Afin de concevoir la chose davantage. »

 Rédigez à votre tour un dialogue entre deux interlocuteurs, dont l'un explique à l'autre, au moyen d'une comparaison concrète tirée de la vie quotidienne, un sentiment que l'autre ne comprend pas.

– Vous rédigerez votre texte à la manière d'un dialogue de théâtre, en respectant les règles de présentation propres à ce type d'écrit.

– Vous accorderez une attention particulière à la manière dont les répliques s'enchaînent : reprise de termes, questions-réponses, etc.

– Il sera tenu compte dans l'évaluation de la correction de la langue et de l'orthographe.

Petite méthode pour la rédaction

Il s'agit de rédiger un dialogue à la manière d'une pièce de théâtre. Vous devez donc :

– respecter les règles de présentation propres au dialogue théâtral : nom du personnage qui parle, didascalies (indications concernant le ton, les gestes, etc.), pas de narrateur, etc. ;

– respecter la consigne définissant le thème de ce dialogue ou son fonctionnement général : inventer deux personnages et définir leur rôle au sein de ce dialogue. En l'occurrence, un personnage jouera le rôle de « professeur » expliquant le terme en question, l'autre, le rôle d' « élève » s'efforçant de comprendre un terme nouveau ;

– faire en sorte que les répliques du dialogue s'enchaînent harmonieusement.

Outils de lecture

Antiphrase : procédé qui relève de l'ironie et qui consiste à faire entendre le contraire de ce qu'on dit. Ex. : « c'est malin ! » (= « ce n'est pas malin »).

Aparté : au théâtre, procédé qui consiste à faire parler un personnage à lui-même, *à part*, sans que les autres soient censés l'entendre.

Commedia dell'arte : genre théâtral italien populaire né au XVIe siècle dans lequel les acteurs, masqués, font rire par leur maîtrise du comique de geste et de l'improvisation.

Dénouement : au théâtre, événement qui vient dénouer une intrigue et marque ainsi la résolution de l'action.

Didascalie : indication précisant le jeu et la gestuelle des acteurs ou les éléments du décor.

Exposition : début d'une pièce de théâtre ; les spectateurs doivent pouvoir y apprendre, à travers les paroles et les actions des personnages, les informations nécessaires pour comprendre la situation initiale.

Farce : petite pièce comique, souvent satirique et assez schématique, exploitant notamment le comique de geste, le comique de situation et le comique de répétition.

Grivois : qui fait référence, malicieusement, au domaine de la sexualité.

Héroïsme : qualité de ces personnages se caractérisant par leur souci de trouver la gloire et de défendre leur honneur. L'héroïsme occupe notamment une place centrale dans le théâtre de Corneille.

Honnêteté : modèle de civilité promu par le XVIIe siècle. L'honnête homme se caractérise tout à la fois par sa faculté d'adaptation, son naturel, sa simplicité, sa gaité et son refus constant du pédantisme.

Ironie : phénomène consistant en la distance prise par un locuteur quelconque envers l'énoncé qu'il met en scène. Cette distance est maximale dans le cadre de l'ironie par antiphrase, où le locuteur dit le contraire de ce qu'il pense.

Intrigue (ou nœud) : ensemble des événements, des intérêts et des caractères qui forment le nœud d'une pièce de théâtre ou d'un roman.

Monologue : tirade prononcée par un personnage seul ou qui se croit seul.

Pathétique : dans le domaine de l'art dramatique, se dit de ce qui émeut fortement.

Péripétie : coup de théâtre. Événement extérieur imprévu marquant un brutal revirement de situation et changeant ainsi totalement la donne pour un ou plusieurs protagonistes d'une même pièce de théâtre.

Préciosité : un courant littéraire et social né au XVIIe siècle, qui se caractérise par son idéal de raffinement et par l'importance qu'il accorde à l'amour.

Portrait : genre littéraire hérité de l'Antiquité et connaissant une vogue remarquable au XVIIe siècle, aussi bien dans le domaine littéraire que dans les salons, à titre de divertissement.

Réplique : partie d'un dialogue prononcée par un personnage de théâtre lorsque son ou ses partenaires ont cessé de parler.

Salon : au XVIIe siècle, cercle mondain brillant se réunissant et s'organisant généralement autour de la personne d'une femme dont le charisme et la forte personnalité prêtent sa cohésion à l'ensemble.

Satire : genre littéraire remontant à l'Antiquité, et choisissant l'arme du rire pour s'attaquer aux vices ou aux ridicules.

Stichomythie : dialogue composé de courtes répliques de même longueur.

Tirade : longue suite de paroles ininterrompues placée dans la bouche d'un personnage de théâtre.

Tragi-comédie : genre théâtral hybride héritier de la littérature espagnole, d'inspiration fortement romanesque, et faisant fi de l'unité de ton, pour mêler le tragique au comique dans une même pièce de théâtre. Passablement démodée à l'heure de *L'École des femmes*, la tragi-comédie avait connu un vif succès du temps des premières pièces de Corneille.

Bibliographie et filmographie

Sur *L'École des femmes*

L'École des femmes (DVD), mise en scène de Jacques Lassalle. Filmée en 2004 au Théâtre Louis-Jouvet.

▶ Les acteurs sont vêtus de costumes inspirés de ceux que portaient les comédiens dans les premières représentations de la pièce. Les décors sont eux aussi volontairement proches des décors originaux.

D'autres œuvres de Molière

La Critique de l'École des femmes et *L'Impromptu de Versailles.*

▶ Réponses adressées par Molière à ses adversaires ; elles permettent de mieux comprendre la manière dont Molière concevait la comédie.

Les Précieuses ridicules.

▶ Cette pièce représente une autre vision de la femme selon Molière, qui s'attaque ici au snobisme de certaines riches bourgeoises de son temps.

Les Femmes savantes, Larousse, Petits Classiques, 1998.

▶ Réflexion de Molière sur le problème de l'éducation des femmes.

Sur la vie de Molière

La Jeunesse de Molière, P. Lepère, Gallimard, Collection « Folio Junior », 2003.

▶ Ce livre raconte la jeunesse de Molière sous forme de roman, depuis son enfance jusqu'à son départ en tournée pour rejoindre la troupe de Dufresne à Lyon.

Molière, S. Dodeller, École des Loisirs, Collection « Belles vies », 2005.

▶ Ce livre raconte toute la vie de Molière. Un encart de quatre pages contient des reproductions d'illustrations de l'époque.

Louison et monsieur Molière, M.-C. Helgerson, Castor Poche Flammarion, 2001.

▶ Ce roman raconte l'aventure de Louison, âgée de 10 ans, que Molière engage pour jouer dans sa dernière pièce, devant Louis XIV lui-même !

Le Roman de monsieur de Molière, M. Boulgakov, Gallimard, « Folio », 1993.

▶ Ce roman, écrit (et surtout traduit) dans une langue décontractée et pleine d'humour, raconte la vie de Molière.

Molière ou la vie d'un honnête homme, A. Mnouchkine, DVD, Éditions Bel Air, 2004.

▶ Ce film date de 1977 et raconte la vie de Molière.

Sur la mise en scène

Pour jouer Molière, Panama, 2006

▶ Ce volume, rédigé par les professeurs de la célèbre école de théâtre qu'est le Cours Florent (entre autres Francis Huster), regroupe des commentaires de certaines scènes tirées du théâtre de Molière.

Sur le théâtre en général

Histoire du théâtre dessinée, A. Degaine, Nizet, 1992.

La Vie quotidienne des comédiens au temps de Molière, G. Mongrédien, Hachette, 1966.

La Comédie de l'âge classique, 1630-1715, G. Conesa, Seuil, 1995.

▶ Examen de la comédie classique d'un point de vue avant tout esthétique ; les comédies de Molière y apparaissent comme des expérimentations théâtrales profondément originales.

Le Théâtre à travers les âges, M. Wiéner, Flammarion, « Castor Doc », 2003.

▶ Ce livre retrace l'histoire du théâtre et des genres dramatiques.

Cyrano de Bergerac, C. Pinotteau (DVD).

▶ Dans l'acte I, représentation à l'hôtel de Bourgogne, là où se jouaient les tragédies que parodie Molière dans *L'École des femmes*.

Le Capitaine Fracasse, T. Gautier, Gallimard, « Folio », 2002.

▶ Ce roman montre la vie des comédiens ambulants du XIXe siècle.

Sites internet

Tout Molière, le site de référence sur l'œuvre de Molière.

▶ http://www.toutmoliere.net/index.html.

Les pages consacrées à Molière sur le site de la Comédie-Française

▶ http://www.comedie-francaise.fr/histoire/moliere1.php

Direction de la collection : Carine Girac-Marinier

Direction éditoriale : Jacques FLORENT

Édition : Marie-Hélène CHRISTENSEN

Lecture-correction : service lecture-correction LAROUSSE

Recherche iconographique : Valérie PERRIN, Marie-Annick REVEILLON

Direction artistique : Uli MEINDL

Couverture et maquette intérieure : Serge CORTESI, Sylvie SÉNÉCHAL, Uli MEINDL

Responsable de fabrication : Marlène DELBEKEN

Crédits photographiques

Photocomposition : CGI
Impression : Rotolito Lombarda (Italie)
Dépôt légal : Juillet 2007 - 300916/06
N° Projet : 11020439 – Août 2012